Stefanie Höfler

# Der große schwarze Vogel

*Stefanie Höfler*, geboren 1978, studierte Germanistik, Anglistik und Skandinavistik in Freiburg und Dundee/Schottland. Sie arbeitet als Lehrerin und Theaterpädagogin und lebt mit ihrer Familie in einem kleinen Ort im Schwarzwald. Zuvor erschienen von ihr die Romane *Mein Sommer mit Mucks* sowie *Tanz der Tiefseequalle*, die beide für den Deutschen Jugendliteraturpreis nominiert wurden.

Stefanie Höfler

# DER GROSSE SCHWARZE VOGEL

Roman

GULLIVER
von BELTZ & Gelberg

Ebenfalls lieferbar:
»Der große schwarze Vogel« im Unterricht
in der Reihe *Lesen – Verstehen – Lernen*
ISBN 978-3-407-63161-9
Beltz Medien-Service, Postfach 100565, 69445 Weinheim
Kostenloser Download: www.beltz.de/lehrer

Dieses Buch ist erhältlich als:
ISBN 978-3-407-74777-8 Print
ISBN 978-3-407-74678-8 E-Book (EPUB)


in der Verlagsgruppe Beltz · Weinheim Basel
Werderstraße 10, 69469 Weinheim

Lektorat: Barbara Gelberg
Neue Rechtschreibung
Einbandgestaltung und Vignetten: Lisa Klose
Druck und Bindung: Beltz Grafische Betriebe, Bad Langensalza
Printed in Germany
1 2 3 4 5    23 22 21 20 19

Weitere Informationen zu unseren Autor_innen und Titeln
finden Sie unter: www.beltz.de

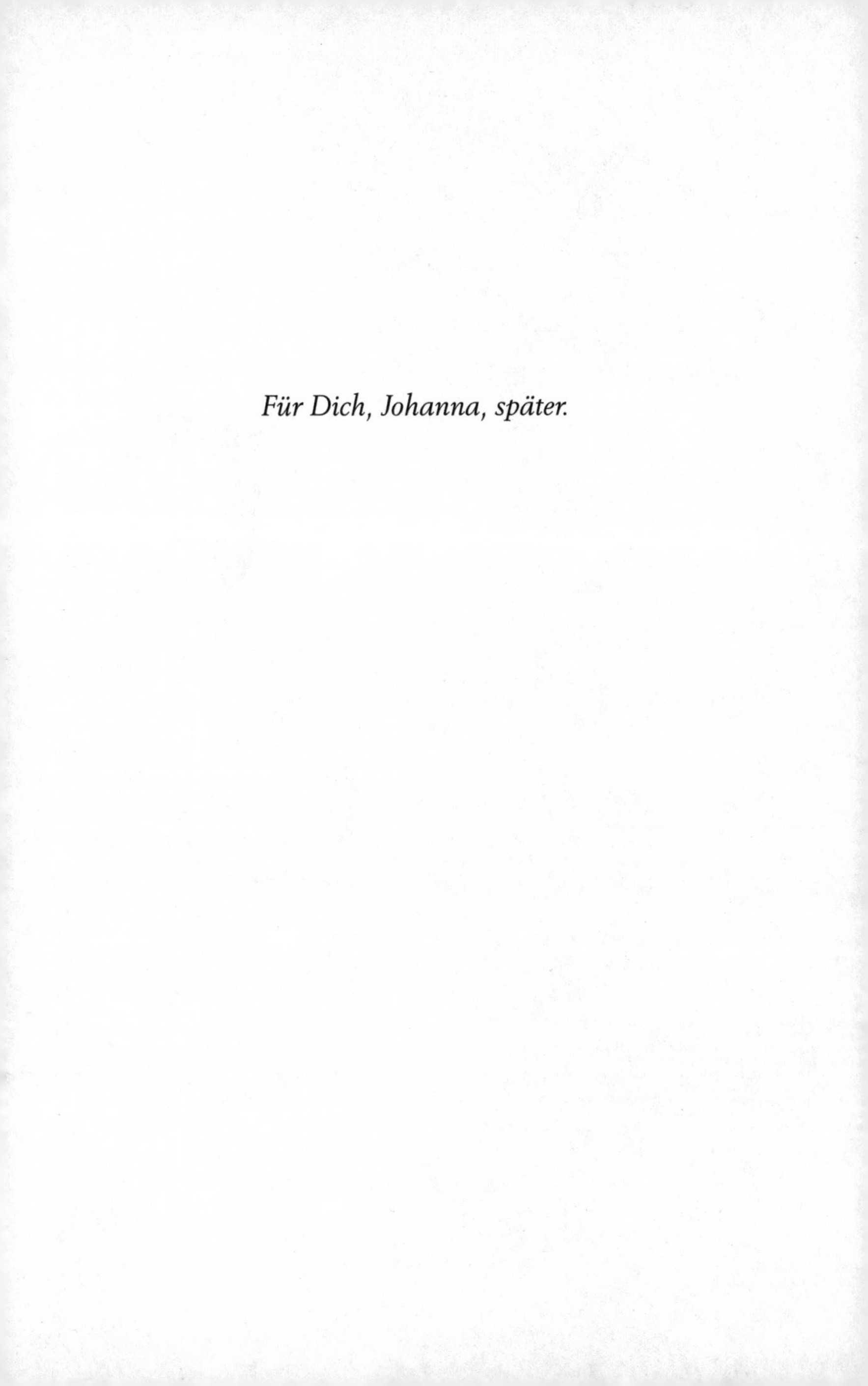

*Für Dich, Johanna, später.*

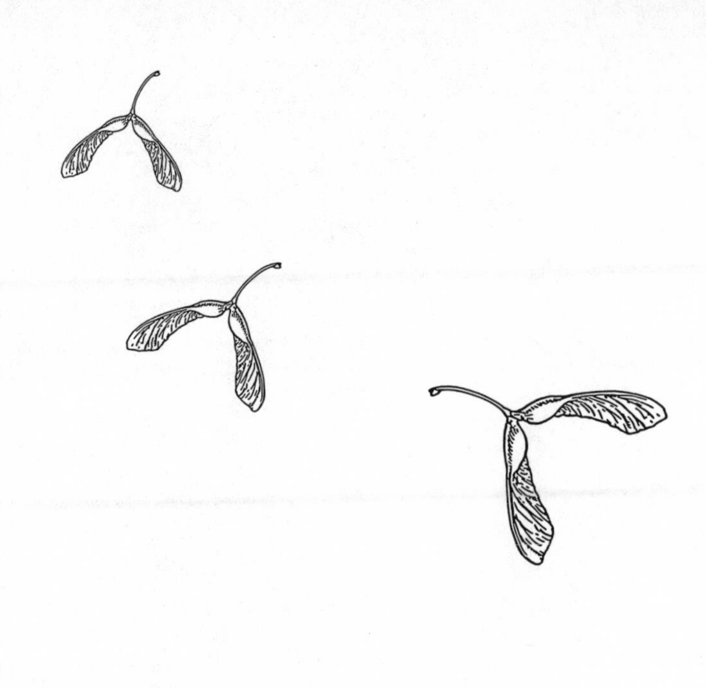

*Noch bist du da*

Wirf deine Angst
in die Luft

Bald
ist deine Zeit um
bald
wächst der Himmel
unter dem Gras
fallen deine Träume
ins Nirgends

Noch
duftet die Nelke
singt die Drossel
noch darfst du lieben
Worte verschenken
noch bist du da

Sei was du bist
Gib was du hast

*Rose Ausländer*

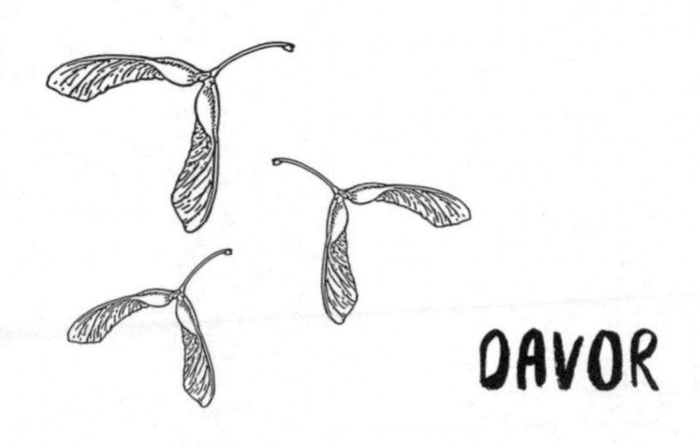

# DAVOR

*Meine erste Erinnerung überhaupt ist die an Ma ganz oben im Baum. Es muss im Herbst gewesen sein, denn um sie herum rollen sich die nicht mehr grünen, aber noch nicht ganz braunen Blätter zu bizarren Formen zusammen, und wenn sie sich bewegt, knistert es trocken wie Feengeflüster bis zu mir hinunter.*

*Ma steht auf einem Ast ganz oben, dem höchsten, der noch stark genug ist, sie zu tragen, und pflückt die Kastanien wie Äpfel von den Ästen, wirft sie zu mir herunter, ohne hinzusehen, zu schnell, als dass ich sie alle fangen könnte. Manche davon treffen mich an den Armen, an den Schultern, bevor sie sich raschelnd um meine Füße herum sammeln. Vorsichtig schäle ich sie aus ihrer Igelschale und sammle sie in meinem Pullover wie in einer Schürze. Wenn gerade keine Kastanien von oben herunterfliegen, wühle ich meine Hand tief in die rotbraunen Kugeln hinein und streichle sie wie kleine glatte Tiere ohne Gesicht.*

*Ein paar Schritte weiter stehen die anderen Kinder aus der Straße und schauen nach oben, ihre Augen mit den Händen gegen das Sonnenlicht abschirmend.*

*Es riecht nach allem, was da ist: nach den halb gerollten, halb getrockneten Blättern, nach der sonnenwarmen Rinde der*

*Kastanie, ein bisschen nach Erde und ein bisschen nach dem Bratfettgeruch, der einem der Kinder in den Haaren hängt. Nur nach Kastanien riecht es nicht. Kastanien haben keinen Geruch.*

*»Was macht denn deine Mutter da oben?«, fragt ein Junge.*

*»Kastanien sammeln«, sage ich. »Wir wollen Kastanientiere basteln.«*

*»Aber die kommen doch von selber runter«, sagt jemand. »Morgen oder übermorgen.«*

*»Wir wollen aber heute basteln«, sage ich und schaue wieder nach oben.*

*Mas dreieckiges Gesicht erscheint zwischen den anderen kleinen Dreiecken aus blauem Himmel inmitten der Äste, ihre langen rostroten Haare mit den etwas helleren trockenen Blättern darin umrahmen ihr breites Lachen mit dem leuchtend rot gemalten Mund. Alles an ihr glitzert vor Freude.*

*Ich bin ungefähr vier Jahre alt, und was ich da sehe, ist der normalste Anblick der Welt.*

# SONNTAGMORGEN

Am Sonntag, den 1. Oktober, um 7.02 Uhr sah ich zum ersten und einzigen Mal einen Defibrillator in Gebrauch. Zwei Sanitäter benutzten dieses gelbe Gerät, das seit ein paar Jahren in jedem Einkaufszentrum an der Wand hängt und mit dem man versucht, Leute wieder zum Leben zu erwecken. Und genau das versuchten sie gerade bei meiner Mutter.

»Zurück. Jetzt!«

»Nein. Noch mal. Zurück. Jetzt!«, hörte ich, während ich zusah, wie die beiden Männer in ihren leuchtend roten Anzügen sich über Ma beugten, von der ich nur die dunkelrote Haarflut sah, wie ein roter Teppich, auf dem einer der Sanitäter kniete. Ma lag auf dem Boden. Der Defibrillator sah ein wenig aus wie ein aufgeklappter Werkzeugkasten mit Bildschirm, und auf dem Bildschirm zeichnete sich eine leuchtend blaue Gerade ab, die leicht zitterte. Zwischen den Rufen des Sanitäters gab es ein pumpendes Geräusch, dann eine Art Klackern. Dazwischen gespenstische Stille. Rufen, Pumpen, Klackern, Stille. Rufen, Pumpen, Klackern, Stille.

Es dauerte genau drei solcher Zyklen, bevor Pa mich in der Tür bemerkte. Dann kam er herüber und nahm mich wortlos an der Schulter. Seine eiskalte Hand lenkte mich hinaus in den dunklen Flur. Er schaute auf mich herunter und sagte kein einziges Wort.

»Zurück. Jetzt!«, hörte ich noch einmal, in genau demselben Tonfall wie zuvor, wie eine hängen gebliebene Schallplatte, und dann, kurz bevor mein Vater wieder ins Schlafzimmer hineinging und mich im Flur stehen ließ, ganz leise: »Das wird nichts mehr.«

Im Dunkel des Flurs zeichneten sich die vertrauten Formen ab: die wuchtige ockerfarbene Kommode aus Pas Studententagen, die Ma nur »das Monster« nannte, ein Sammelsurium aus zerfledderten Regenschirmen und ein lebensgroßer, schiefer Ritter, den ich in der ersten Klasse aus Holzresten gebastelt hatte und den mein Vater so witzig fand, dass er seitdem im Flur steht. Nur kam es mir so vor, als hätten diese drei Gegenstände, an denen ich seit Jahren achtlos vorbeigelaufen war, plötzlich ihre Form oder Größe verändert. Als sei ich in einem dieser dämlichen Filme gelandet, in denen jemand geschrumpft wird, sodass ihm plötzlich seine völlig vertraute Umgebung fremd und unwirklich vorkommt.

Neben dem schiefen Ritter stand Krümel. Ein zweiter Ritter, fast genauso regungslos wie der andere, nur drei Köpfe kleiner und im Schlafanzug.

Mein Bruder hat sich, als er noch kleiner war, Krümel genannt, nach dem Hamster von Nils Holgersson, und erst seit Kurzem wollte er plötzlich Karl genannt werden, aber natürlich nannten ihn alle trotzdem weiter Krümel.

Krümel heulte. Wäre Krümel wirklich ein Hamster, würden seine Barthaare vibrieren, wenn er heult, denn seine Oberlippe zuckt dabei unentwegt und regelmäßig wie bei einem mümmelnden Nagetier. Es gibt vielerlei Arten von Krümel-Heulen. Das aggressiv-müde Heulen, das jeder Sechsjährige kann, sowieso, das Ich-möchte-das-aber-haben-Heulen, etwas schriller und auf Kommando, oder das Aufmerksamkeitsdefizit-Heulen. Krümel braucht sehr viel mehr Aufmerksamkeit als ich.

Dieses Heulen aber war anders. Krümel heulte leiser als sonst, fast lautlos, und die Tränen liefen mit beachtlicher Geschwindigkeit seine Wangen hinunter. Er heulte einfach, statt zu atmen. Und er hörte auch nicht damit auf, als ich mich zu ihm hinunterbeugte und versuchte, ihn zu umarmen.

Wenn der eine dasteht wie ein tiefgefrorener Fisch, dann funktioniert das nicht mit der Umarmung. Und deshalb ließ ich Krümel auch gleich wieder los, schob ihn in die Küche und drückte ihn auf seinen heiß geliebten roten Kinderstuhl. Auf einmal fielen mir seine Beine auf, die vom Stuhl baumelten wie bei meinem alten Schlenkeraffen: Krümels Beine kamen mir plötzlich viel zu lang vor, so als sei mein kleiner Bruder über Nacht zwanzig Zentimeter gewachsen. Obwohl es in unserer Küche genug Stühle gibt, setzte ich mich auf den Boden und lehnte mich an den großen Schrank, dessen Türen auf den Druck meines Rückens mit einem leichten Ächzen antworteten. Es klang wie »Jaja«, und das war sozusagen das Erste, was an diesem Morgen jemand zu mir sagte.

Fünf Minuten saßen Krümel und ich schweigend in der Küche und starrten Löcher in die Luft, ich in sechzig Zentimeter und Krümel in einem Meter Höhe. Nur ab und zu zog Krümel die Nase hoch, ein ekliges kleines Schniefgeräusch, das sich in die gleichmäßige Geräuschabfolge von nebenan einreihte: Schniefen, Rufen, Pumpen, Klackern, Stille. Schniefen, Rufen, Pumpen, Klackern, Stille.

Und dann hörten alle Geräusche außer dem Schniefen auf und Pa kam herein.

Wenn mein Vater durch eine Tür kommt, ist das ein Erlebnis, denn er misst stolze 1 Meter 98 und hat so breite Schultern wie ein dreifacher Schwimmweltmeister. Bei jeder gewöhnlichen Tür muss er leicht den Kopf einziehen, und die Schräglage, in die sein ganzer Körper dabei gerät, lässt ihn noch größer erscheinen.

Mein Freund Janus sagt, das erste Mal, als er mich zu Hause besuchte, habe er Angst vor meinem Vater gehabt. Und Janus ist nicht gerade der Inbegriff eines Angsthasen.

An diesem Sonntagmorgen sah mein Vater allerdings überhaupt nicht imposant aus. Sein Gesicht war unnatürlich blass, als hätte jemand es nachkoloriert, um das, was an seinem Gesicht dunkel war, stärker zu betonen: die schmalen Falten, die sich von der Nase zu den Mundwinkeln zogen, die Schatten unter seinen tief liegenden Augen, den Dreitagebart. Dieses Schwarz-Weiß-Gesicht ließ ihn älter aussehen, viel älter. Als ich ihn so sah, wusste ich, dass es keine Überraschung geben würde, keine Umkehrung dessen, was ich vorhin im Schlafzimmer gesehen hatte. Keine plötzliche Rettung. Stille. Stille. Stille. Stille.

»Ben.«

Pa sah mir ins Gesicht, als käme er gerade aus einer anderen Welt und müsste sich an meinem Blick festklammern, um nicht wieder gewaltsam in sie hineingezogen zu werden, wie der Held in einem Science-Fiction-Film. Er atmete ein und aus und ein und aus, bevor er weitersprach.

»Sie konnten eure Ma nicht mehr zurückholen.«

Krümel rutschte vom Stuhl, und ich stand unwillkürlich auf, sodass wir alle drei, Krümel, Pa und ich, uns wie drei verzögert reagierende Magnete in der Mitte des Raumes trafen. In Zeitlupe fuhr Pa seine langen Arme aus wie ein Mähdrescher und zog uns beide hinein in eine Umarmung.

Ich wusste nicht, wann er mich das letzte Mal umarmt hatte. Vielleicht, als ich in der dritten Klasse ausgelacht wurde, weil ich aus Versehen auf einem Hundehaufen ausgerutscht war. Da hat mich Pa in den Arm genommen, obwohl er danach selbst überall mit Hundescheiße beschmiert war. Womöglich ist es insgesamt untypisch, dass Väter und Söhne sich umarmen. Oder aber mein Vater hob seine Umarmungen für Ausnahmesituationen auf.

Genau daran dachte ich, als ich mein Gesicht an seinen Bauch drückte und seinen Geruch einatmete, diesen leichten Geruch nach Tabak, der sogar in seinem Schlafanzug sitzt. Aber ich dachte auch daran, wie viel öfter Ma mich umarmte, jedes Mal gegen meinen Widerstand, mit der ihr eigenen Technik, fest und gleichzeitig doch irgendwie lose, und wie sich ihre Umarmung anfühlte, mit ihren kitzelnden langen Haarsträhnen in meinem Gesicht und dem leichten Klirren ihrer Glasarmreifen hinter meinem Rücken.

Mas Todestag war ein strahlender Oktobertag. Wenn in einer Geschichte jemand stirbt, dann meistens an einem Regentag. Oder an einem nebelverhangenen Tag, an dem kein Sonnenstrahl die Wolkendecke durchdringt. Das passt besser zum Tod, unterstreicht die düstere Stimmung.

Ich will aber nicht, dass das hier nach einer düsteren Geschichte klingt. Ich weiß selbst gar nicht, ob ich die Geschichte düster finde. Ich weiß nicht einmal, ob das hier eine Geschichte wird. Aber falls es eine wird, dann soll sie erzählen, wie das ist, wenn jemand plötzlich stirbt. Wie die ersten Tage vergehen, wie man damit klarkommt. Oder wie man eben nicht damit klarkommt.

Jedenfalls glaube ich, dass es für so eine Geschichte wichtig ist, dass ich die Wahrheit erzähle, und das gilt sogar für das Wetter. Und die Wahrheit ist: Der Tag, an dem meine Mutter plötzlich und völlig unerwartet starb, war ein strahlender Herbsttag. So ein Tag, an dem die Äpfel an den Bäumen so reif und süß riechen, dass man sogar dann Lust auf einen Apfel bekommt, wenn man Äpfel eigentlich hasst. Natürlich kam ich an diesem Tag an keinem einzigen Apfelbaum vorbei, oder wahrscheinlich doch, aber ich habe es nicht bemerkt. Denn an diesem Tag war nichts so wie sonst, sondern ganz anders. Und danach sowieso.

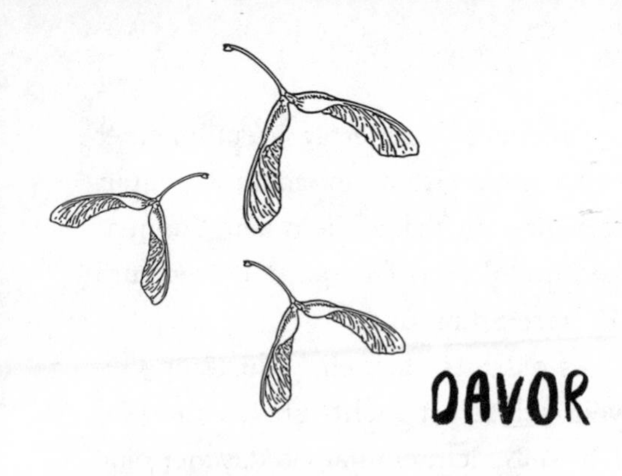

# DAVOR

*»Die Apfelbäume bleiben stehen.«*

*Ma steht breitbeinig mitten auf dem Spielplatz und hat die Hände in die Hüften gestützt. Der Mann mit der blutorangenfarbenen Arbeitsweste schaut erst Ma ratlos an, dann mich. In der rechten Hand hat er eine Kettensäge, auf dem Kopf eine alberne kleine weiße Mütze, zum Schutz gegen die Sommersonne. Er sieht sich um, aber da ist niemand, nur ein paar Kinder, die hinter dem Absperrband stehen und sich nicht herübertrauen. Und Ma, die ihm den Weg versperrt, direkt vor ihm, mich an der Hand. Hinter ihm liegen große Haufen aus Blättern und Ästen von der Hecke, die den Spielplatz umrandet und die nun eckig und kahl geschoren dasteht. Außerdem die zwei großen Buchen, jetzt in kleine Rädchen geschnitten, die wie dicke Wurstscheiben auf der Wiese aufgereiht liegen.*

*»Ich soll die alten Bäume wegmachen und dann im Herbst neue …«, fängt der Mann an, seine Stimme klingt kratzig, und vielleicht hätte er sich selbst unterbrochen, wenn Ma es nicht tun würde, einfach, weil Ma dasteht, wie sie dasteht, und ihn ansieht, wie sie ihn ansieht.*

*»Der Apfelbaum ist ein Hartholz, der wächst langsam. Wenn*

*Sie die Apfelbäume auch noch fällen, dann gibt es auf diesem Spielplatz keinen Schatten mehr«, sagt Ma mit lauter Stimme. Und dann nimmt sie den Mann an der Hand, zieht ihn mit, und weil ich an ihrer anderen Hand hänge, bilden wir nun eine Kette, Ma, ich und der Mann, der zu überrascht ist, um sich zu wehren.*

*»Fühlen Sie mal«, sagt Ma, jetzt leiser, und lässt meine Hand los, um ihre an den Stamm zu legen. Ich mache dasselbe. Der Stamm des alten Apfelbaums liegt knorrig unter meiner Handfläche. Aus der Nähe sieht er aus wie ein versteinertes, in Falten gelegtes Tuch, und auch die Farbe ist von Nahem ein wenig wie Stein – nicht braun, wie wir die Bäume im Kindergarten malen, sondern eher grau, irgendwie uralt.*

*Der Mann legt als Letzter seine Hand an den Stamm, und mir fällt auf, wie ähnlich seine Hand und die Baumrinde aussehen: knotig, rau, in trockene Falten gelegt. So bleibt er eine Weile stehen, seine raue Hand auf dem rauen Stamm, die müden Augen auf Ma gerichtet.*

*Ma hat ihre eigene Hand wieder vom Baumstamm gelöst und meine genommen, sodass wir jetzt nur dastehen und dem Mann beim Nichtstun zusehen. Zwischen ihrer und meiner Hand kleben kleine brüchige Rindenstücke, und ich höre Ma atmen, ganz ruhig, bevor sie aus dem Augenwinkel zu mir heruntersieht und zwinkert, noch bevor der Mann die Hand vom graubraunen Stamm nimmt, seufzt, seinen lächerlichen Hut zurechtrückt und seine Kettensäge nimmt und dann verschwindet. Von oben fällt ein Blatt aus dem verschonten Apfelbaum wie ein Gruß und legt sich auf meine Schulter. Ich lasse Ma los, pflücke es mir vom Pullover und stecke es in meine Hosentasche.*

*Die Apfelbäume stehen immer noch auf dem Spielplatz. Und noch heute denke ich daran, wenn ich sie sehe: Der Apfelbaum ist ein Hartholzgewächs. Vielleicht hat es damals angefangen, dass mich Ma angesteckt hat mit ihrer komischen Baum-Besessenheit.*

obsession

# SONNTAGVORMITTAG

Die Stille in der Küche wurde von einem Saxofon unterbrochen. Ein lang gezogener Ton sägte sich gnadenlos durch unsere Umarmung, und ich spürte, wie Pa nach Luft schnappte, und hörte drüben im Schlafzimmer einen der Sanitäter erschrocken sagen: »Was ist das denn?«

*Strange Fruit,* Mas Lieblingssong und seit Jahren die Weckmelodie auf ihrem Handy. Automatisch wartete ich darauf, dass Billie Holiday ihren Gesang nach der ersten Zeile unterbrechen und ein leiser Fluch meiner Mutter folgen würde, die ein Morgenmuffel ist. Zehn Minuten später würde Billie noch mal aufjaulen, weil Ma immer nur auf den Slumber-Knopf drückt, um doch nicht ganz zu verschlafen. Wie jedes Wochenende hatte sie vergessen, den Wecker am Samstagabend auszustellen.

Aber heute durfte Billie weitersingen. Keiner kam auf die Idee, sie zu unterbrechen. Die lang gezogenen Töne von *Strange Fruit* untermalten als morbide Filmmusik die nächsten drei Minuten des Geschehens.

Ich habe nie verstanden, was Ma an Jazz so toll findet. Schon bevor ich in der Schule Englisch lernte und zu verstehen begann, dass meine Mutter sich von einem Lied über Sklaven, die blutig am Baum hängen, aufwecken ließ, fand ich, dass einem diese Musik absolut die Laune verderben konnte.

Billie jammerte immer noch, als einer der beiden Sanitäter den Kopf zur Küchentür hereinstreckte.

»Wir gehen dann jetzt«, sagte er. Seine Stimme klang unsinnig vorsichtig, so als könne er jemanden aufwecken. »Wir haben Ihren Hausarzt gerufen. Er kommt, um …«

Der Sanitäter stockte. »… um den Rest zu klären«, fügte er dann hinzu. Die zweite Hälfte des Satzes klang wie falsch montiert. Der Sanitäter stand unschlüssig auf der Türschwelle.

»Ach ja. Und dann haben wir auch noch die Polizei informiert. Ist Vorschrift.« Er war bei den letzten Worten immer leiser geworden. Pa nickte minimal. »Blood on the leaves and blood at the root«, sang Billie Holiday. Der Sanitäter verschwand, und ich stellte mir vor, wie er draußen aufatmete, als die Wohnungstür ins Schloss fiel. Wenige Augenblicke später öffnete Tante Gerda sie wieder.

Tante Gerda sieht aus wie Pa, nur zwei Köpfe kleiner, was ziemlich komisch wirkt, wenn beide nebeneinanderstehen, etwa so, als hätte man bei ihr ein Stück von den Beinen abgesägt, um sie bei Pa wieder einzufügen, denn weder bei Pa noch bei seiner älteren Schwester stimmen die Proportionen. Besonders Tante Gerdas Hände sind viel zu groß für ihre kleine Statur. Meine Tante kam alle paar Tage zu uns, mal kochte sie und mal putzte sie das Badezimmer. Natürlich hätten wir das genauso gut selbst machen können, aber alle schienen die Idee gut zu finden. Außerdem hatte sie selbst keine Familie.

Wie immer begrüßte mich Tante Gerda, indem sie ihre Hand ganz kurz auf meine Schulter legte, was sich anfühlte, als würde sich ein sehr kleiner, sehr leichter Vogel sekundenlang darauf niederlassen. Krümel hingegen schüttelt sie sehr ernsthaft die Hand. »Karl«, sagt sie dann knapp, wie um sich zu vergewissern, dass er wirklich so heißt. Ich glaube, Tante Gerda ist die Einzige, die Krümel den Wunsch erfüllt, ihn Karl zu nennen. Nur Pa wurde von Tante Gerda anders begrüßt als sonst. Sie umarmte ihn lange, und dabei drückte sie ihre Finger so fest in Pas Rücken, dass ihre Fingerkuppen weiß wurden. Wie um zu verhindern, dass er abhebt oder hinfällt, eines von beidem. Keiner von beiden sagte etwas. Dann hörte Billie Holiday auf zu singen. Und dann klingelte es.

»Das wird der Arzt sein«, murmelte Pa.

Ich erwartete, Doktor Gräber zu sehen, unseren Hausarzt, aber es war ein dünner, jüngerer Mann mit pechschwarzen, etwas wirren Haaren und fragendem Blick, der schüchtern in der Küchentür lehnte. Als er sich vorstellte, sah er keinem von uns in die Augen.

»Hagemann. Ich bin Doktor Gräbers Vertretung. Wo …?« Er unterbrach sich, sah aber weiter vor uns auf den Boden. Ungefähr dort, wo sein Blick hinfiel, entdeckte ich eine handflächengroße Staubflocke. Staubratten, sagt Ma immer. Das sind keine Wollmäuse mehr, sondern Staubratten. Ma hasst Staubsaugen. Das Geräusch macht sie wahnsinnig.

Als Pa den Arzt ins Schlafzimmer führte, bemerkte ich den stämmigen, grauhaarigen Mann, der im Flur stand und geduldig darauf wartete, dass ihn jemand wahrnahm.

»Tut mir leid, dass ich einfach hereingekommen bin, aber die Türen standen offen«, sagte er jetzt. Sein Blick war ruhig, aber scharf, und traf mich genau im Gesicht. Seine Augen unter den dichten, borstigen Brauen hatten die Farbe einer Regenpfütze.

»Gneist, von der Kriminalpolizei.« Er streckte seine Hand aus und ich gab ihm meine. Er drückte sie so schnell und fest zusammen, dass ich kurz zurückzuckte. Er bemerkte es sofort. »Entschuldigung«, sagte er und lächelte. »Berufskrankheit.«

Es war das erste Lächeln, das ich an diesem Morgen sah, und ich erwiderte es unwillkürlich. Ich sah mich nach Tante Gerda um, aber sie war verschwunden. Vermutlich versuchte sie, Krümel abzulenken.

»Ich bin Ben«, sagte ich dann und wunderte mich beinahe, dass ich noch sprechen konnte.

»Der ältere Sohn der Toten«, ergänzte Herr Gneist. Er hielt meinen Blick fest, und deshalb muss er auch wahrgenommen haben, wie mein Atem für genau den Moment aussetzte, in dem er meine Mutter als »Tote« bezeichnete.

Mir fiel die Leiche vom *Tatort* letzte Woche ein und das übertrieben viele Blut. An *Strange Fruit* dachte ich. Und an Ma, wie sie gestern Abend mit klirrenden Armreifen die Spülmaschine ausgeräumt hatte. Ein Teller war ihr auf den Boden gefallen, wie so oft, und sie hatte laut geflucht, und Krümel und ich mussten lachen, was sie noch wütender gemacht hatte. Sie hatte nicht so ausgesehen, als sei sie dem Tod besonders nah.

»Mein Vater und der Arzt sind da drin«, informierte ich den Kommissar und zeigte auf die geschlossene Schlafzimmertür, »und meine Tante …« Ich brach ab.

»Wäre es in Ordnung, wenn ich zuerst dir einige Fragen stellen würde?« Sein Blick hielt meinen immer noch fest, als wolle er sichergehen, dass ich nicht flüchten konnte, nicht einmal mit den Augen.

Ich konnte plötzlich das dämliche Stammeln der Tatverdächtigen nachvollziehen, das ich im *Tatort* immer so unglaubwürdig fand. »Okay«, sagte ich.

Wir gingen ins Wohnzimmer. Herr Gneist sah sich flüchtig um, während er seinen massigen Körper auf das Sofa sinken ließ, und ich fragte mich, woran sein Blick hängen bleiben würde. An die gegenüberliegende Wand waren Fotos von unserer Familie gepinnt. Auf fast jedem war Ma zu sehen. Ma auf dem Fahrrad, leuchtend gelber Pullover, Krümel hintendrauf. Ma beim Pilzesammeln im Wald, blauer Regenmantel, rote Gummistiefel. Ma und ich am Strand, als ich klein war. Auf jedem einzelnen Bild lachte sie mit ihrem großen, rot geschminkten Mund und beherrschte das ganze Bild.

Auf dem Boden unter dem Fenster lag ein Berg zerknüllter Zeitungsseiten. Ma hat die Angewohnheit, gelesene Seiten zu zerknüllen und die so entstandenen Papierkugeln auf einen Haufen zu werfen. Abends wirft sie den Papierberg mit Genugtuung in den Müll. Aber diesmal hatte sie es offenbar vergessen.

»War sie gestern müde?«, begann Herr Gneist. Es war klar, dass er Ma meinte.

»Nein, ich glaube nicht.« Nur schlecht gelaunt, dachte ich.

»Was habt ihr denn gestern Abend gemacht, du und deine Familie?«

»Gestritten«, antwortete ich spontan und erschrak sofort über meine eigenen Worte.

»Also, mein Bruder, meine Mutter und ich. Sie hatte ziemlich schlechte Laune gestern. Und wir hatten nicht aufgeräumt«, ergänzte ich schnell. Es klang beschwichtigend, ohne dass ich es beabsichtigte. Herr Gneist lächelte wieder. Vermutlich kam ich ihm ohnehin nicht besonders verdächtig vor.

Ich sah aus dem Fenster. Von hier aus waren keine anderen Häuser zu sehen, sondern nur der Himmel. Ein Himmel, dessen Blau so absolut war, als würde es gleich die Fensterscheibe sprengen. Vor dem Himmel stand der Kastanienbaum. Einige Äste reichten bis an das Fensterbrett. Der Baum hatte damit begonnen, seinen Saft aus den Blättern zurückzuziehen, was man daran erkennen konnte, dass die Spitzen der fünffingrigen Blätter braun wurden. Bald würde sich jedes Blatt zu einem einzigartig gekrümmten Gebilde zusammenziehen und knisternd zu Boden sinken. Bald würden die Kastanien reif sein.

Ich versuchte, mich daran zu erinnern, wie ich Ma Gute Nacht gesagt hatte. Ob sie noch sauer gewesen war, als ich sie zum letzten Mal gesehen hatte. Zum allerletzten letzten Mal. Plötzlich erschien es mir unendlich wichtig, mich daran zu erinnern. Aber ich wusste es nicht.

»Lass dir Zeit mit dem Nachdenken«, sagte Herr Gneist.

Vielleicht konnte er Gedanken lesen. »War sie gestern irgendwie … anders als sonst?«, wollte er dann wissen.

»Nein, eigentlich nicht. Sie regt sich immer schnell auf.«

»Sie war also ein launischer Mensch?« Im Gegensatz zu mir sprach er in der Vergangenheit von meiner Mutter.

»Ja, schon.« Ich dachte an Mas legendäre Wutausbrüche, bei denen Pa, Krümel und ich den Kopf einzogen, bis ihre Wut genauso schnell verraucht war, wie sie gekommen war. Ich hasste dieses schnelle, unberechenbare Aufbrausen, dem man nichts entgegensetzen konnte.

Ohne dass ich es bemerkt hatte, war der Arzt hereingekommen. Zögerlich überreichte er dem Kommissar ein hellgraues Blatt Papier.

»Der Totenschein«, sagte er tonlos.

Ich sah zu ihm hoch, aber er schaute mir immer noch nicht in die Augen. Seine Schultern zog er nach vorne, als könne er sich zwischen ihnen verstecken, um mich nicht sehen zu müssen. Vielleicht war es sein allererster Todesfall. Oder die erste Tote unter fünfzig Jahren.

»Alles klar«, sagte Herr Gneist freundlich und nahm den Totenschein lächelnd entgegen. »Danke.«

Plötzlich machte mich seine seelenruhige Art wütend. Nie war alles klar, am wenigsten aber jetzt.

»Nichts ist klar!«, fauchte ich.

Überrascht wandte er sich mir wieder zu. »Du hast das Temperament deiner Mutter geerbt, was?« Ich schwieg, obwohl niemandem Mas aufbrausende Art fremder war als mir.

»Hast du sie denn schon gesehen? Deine Mutter?«, fragte er jetzt, leiser als vorher. Ich drehte mich zurück zum Fenster und hakte meinen Blick in den Ästen der Kastanie fest.

»Nein.« Der kurze Besuch im Schlafzimmer vorhin zählte nicht.

»Vielleicht solltest du dich … verabschieden«, meinte er. Vor »verabschieden« machte er eine winzige Pause, als wolle er mir nicht schon wieder zu nahetreten. Einer der Äste des Kastanienbaumes wurde vom Wind an die Scheibe gedrückt. Es klang wie ein sachtes Klopfen. Irgendwie beruhigte mich das.

»Und morgen um zwölf kommst du einfach ins Präsidium und wir sprechen noch einmal in Ruhe über alles. Bring deinen Vater und deinen kleinen Bruder mit, wenn er will«, sagte Herr Gneist jetzt.

Natürlich wusste er genau über unsere Familie Bescheid. Ich dachte, dass er vielleicht recht hatte. Dass es wichtig war, Ma jetzt noch einmal zu sehen. Um mich zu vergewissern, dass sie wirklich tot war, meine Mutter, die gestern noch Teller zerbrochen, Scherben gefegt, geflucht und dann wieder über sich selbst gelacht hatte. Meine Mutter mit den zwei Gesichtern.

Ich lehnte mich an die kalte Fensterscheibe und sah in die langen, starken Äste der Kastanie. Dann öffnete ich das Fenster weit, fasste den nächsten Ast, der zu mir herüberwuchs, und hielt mich an ihm fest. Als würde ich einem alten Mann die Hand geben, den ich schon mein Leben lang kannte.

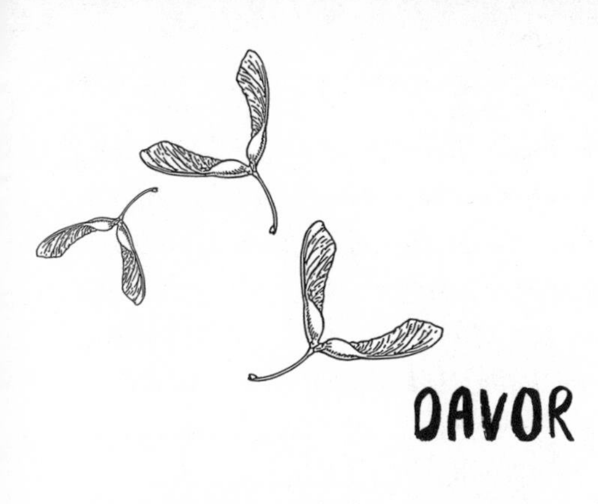

# DAVOR

*Es ist ein Tag im frühen Winter, einer dieser fiesen Tage, der einem mit heftigen Windböen die nass gewordenen Matschblätter der Kastanienbäume ins Gesicht klatscht. Ich bin krank und kann nicht in den Kindergarten gehen, und so nimmt mich Ma mit ins Theater, weil sie nicht einfach wegbleiben kann. Sie hat einen Auftrag für ein Bühnenbild an unserem Stadttheater. Ich sitze mit einem dicken, kratzigen Wollschal in der ersten Reihe und sehe ihr dabei zu, wie sie oben zwischen den Schauspielern herumwirbelt und etwas erklärt. Wahrscheinlich habe ich Fieber, ich kann ihre Worte nicht verstehen, obwohl sie sicher ebenso laut spricht wie immer, sehe nur, wie sich ihr roter Mund bewegt, unaufhörlich Worte ausspuckt, die ich nicht auseinanderhalten kann. Die ganze Bühne liegt voller Laub und alles riecht nach Wald und Draußen und Märchen.*

*Später werde ich Ma fragen, wo das ganze Laub herkommt, und sie wird lachen und mir antworten, es sei das gesamte Laub, das die kleinen orangen Straßenkehrmaschinen in den letzten drei Wochen eingesammelt hätten. Ma wird mir in diesem Moment unheimlich mächtig vorkommen, weil sie einfach das Laub der ganzen Stadt für sich bestellen kann.*

*Noch aber sitze ich in einem dieser samtroten Klappsessel, während Ma auf der Bühne hin und her springt und den Schauspielern befiehlt, sich auf und unter die unendlichen Laubberge zu legen, die pausenlos raschelknistern.*

*Ich kann den Stuhl nur mit Mühe unten halten und klappe, als ich kurz nicht aufpasse, halb wieder nach oben, und durch den Ruck gerät mein Magen zum Karussell, und ich muss mich übergeben. Ma hat wohl das Geräusch gehört, mit dem die Reste meines Frühstücks sich in einem Schwall auf das Linoleum vor der ersten Zuschauerreihe ergossen haben, denn sie dreht sich in einer energischen Drehung zu mir um und steht eine Sekunde wie erstarrt im grellen Bühnenlicht. Dann aber schreit sie los, schreit mich von oben herunter an, ob ich mich eigentlich gar nicht beherrschen könne und dass ich doch kein Baby mehr sei und ob man mich nicht einmal kurz alleine sitzen lassen könne, und ihr großer roter Mund wird dabei immer größer und jetzt verschwimmt er vor mir, verschwimmt die ganze Ma vor mir.*

*Noch eine Sekunde später ist sie mit einem Sprung unten bei mir und putzt mir das Gesicht mit ihrem Seidenschal ab und nimmt mich in den Arm und murmelt tausend kleine Entschuldigungen, während mich ihre langen Haare so im Gesicht kitzeln, dass ich fast wieder würgen muss und mich trotzdem in ihnen verkriechen will. Dann nimmt sie mich auf den Arm und verlässt Bühne, Laub und Scheinwerferlicht, ohne sich noch einmal umzudrehen, und bringt mich nach Hause.*

# SONNTAGMITTAG

Vielleicht ist es Zeit, ein paar Sätze über mich zu sagen, damit man weiß, wer eigentlich diese Geschichte erzählt.

Ich bin Ben, und Ben ist dieser vierzehneinhalbjährige, ziemlich farblose Typ, wie es ihn in jeder Klasse gibt. Er ist weder groß noch klein, seine Haare haben ein unscheinbares dunkelblond und er ist weder besonders witzig noch besonders nervig. Seine Hände stecken meistens in seinen Hosentaschen. Weil er selten etwas sagt, halten ihn alle für schüchtern, und vielleicht ist er das auch. Dass er sich aus sicherer Entfernung alle und alles besonders genau ansieht, hat noch nie jemand bemerkt.

Keiner sonst in meiner Familie ist unauffällig. Ma nicht mit ihren langen kupferroten Haaren, dem großen Clownsmund und ihren Unmengen an glitzerndem und klimperndem Schmuck, Krümel nicht, der alles schneller, wilder und lauter machen will als alle anderen Leute auf der Welt. Pa wäre vielleicht gerne unauffällig, aber dafür ist er einfach zu groß. Vielleicht bin ich genau deshalb so, wie ich bin, schließlich kann nicht jeder in einer Familie auffallen.

Nur wenn ich mit Janus unterwegs bin, bekomme ich ab

und zu Aufmerksamkeit. Janus ist mein bester Freund, seit er in der ersten Klasse seinen Hausschlüssel verloren hat und ich den Schlüssel in einer Abflussrinne entdeckte. Janus selbst aber riss dann mit all seiner Kraft das Gitter von der Abflussrinne, um ihn herauszufischen. Schon damals war er überdurchschnittlich groß und stark, und schon damals hatte ich meine Röntgenaugen, wie Janus sie nennt. Ich hatte sie beim monatelangen Botanisieren trainiert. Die meisten Leute, die uns zusammen sehen, wundern sich, weil wir so verschieden sind. Janus bewundert mich dafür, dass ich einfach alles bemerke, ohne selbst bemerkt zu werden. Und ich bewundere ihn dafür, dass er vor nichts und niemandem Angst hat.

Janus wäre jetzt sicher ohne zu zögern in das Zimmer hineingegangen, in dem meine tote Mutter lag. Ich schaffte das nicht. Herr Gneist war diskret im Wohnzimmer sitzen geblieben und so stand ich eine Minute alleine im Flur zwischen dem staubigen Ritter, dem Schirmständer und lauter angelehnten Türen.

Es war Tante Gerda, die schließlich mein einsames Herumlungern unterbrach, als sie endlich aus der Küche herausschaute.

»Hast du schon … also, warst du schon …?«, fragte ich sie und blieb bei der Hälfte meiner Frage in der Luft hängen, aber Tante Gerda wusste schon, worauf ich hinauswollte.

»Ja«, sagte sie, »ich habe mich gerade verabschiedet.« Sie machte keine Pause vor »verabschieden«, und ich war froh darüber, dass sie die ganze Zeit so normal war. Krümel fand das wohl auch, jedenfalls hatte er sich so fest in ihre Kniekehle eingehakt, als wolle er den Rest des Tages genau dort verbringen.

»Du musst keine Angst haben. Sie sieht eigentlich aus, als würde sie schlafen. Aber wenn du magst, geh ich noch mal mit«, sagte Tante Gerda. Ich schüttelte den Kopf.

Das Schlafzimmer ist das größte und hellste Zimmer unserer Wohnung. Kann sein, dass wir deshalb, als ich klein war, immer so viele Sonntagvormittage im großen Bett verbrachten und lasen, puzzelten, Musik hörten, während die Vorhänge vor der offenen Balkontür sich im Wind blähten wie die Segel eines Schiffes.

Auf diesem Bett lag Ma jetzt. Jemand hatte sie vom Boden aufgehoben, doch die Art, wie sie dalag, verhinderte, dass ich auch nur einen Augenblick lang denken konnte, es sei ein gewöhnlicher Sonntagmorgen. Sie sah nicht aus, als würde sie schlafen, wie Tante Gerda gesagt hatte. Wenn Ma schlief, lag sie immer auf der Seite, eingerollt wie ein Hörnchen, und ihre langen Haare, die sie nachts offen trug, breiteten sich als weiches Flammenmeer über das Bett aus, sodass sie Krümel morgens ständig bitten musste, nicht darauf zu liegen.

Jetzt lag Ma auf dem Rücken und ihre Nase stach spitz und unnatürlich senkrecht in die Luft. Ihre Augen waren geschlossen, die Arme lagen eng am Körper. Ihre Haare hatte man ordentlich an ihre rechte Seite drapiert. Ma sah aus wie Ma und gleichzeitig auch nicht. Eigentlich sah sie aus wie eine jüngere und strengere Schwester meiner Mutter.

In dem Korbstuhl zwischen dem Bett und dem kleinen Regal mit Mas Lieblingsbüchern, das ich ihr zum letzten Geburtstag geschenkt hatte, saß Pa, seinen Kopf nach hinten an die Wand gelehnt. Er hatte die Augen geschlossen. Ich weiß nicht, wer von meinen beiden Eltern mir in diesem Moment fremder war. Beide waren unendlich weit weg.

Als *Strange Fruit* zum zweiten Mal einsetzte, blieb mir kurz die Luft weg. Ich griff nach Mas Handy auf dem Nachttisch, aber dann überlegte ich es mir anders und ließ die Musik laufen. Irgendwie war sie wie ein letzter Gruß von Ma. Ich stellte mir vor, wie sie sich bei Billie Holidays zweitem Anlauf rekelte, um dann mit ausgebreiteten Armen aus dem Bett zu steigen, lautlos das Playback zu *Strange Fruit* singend, und wie ich wegschaute, weil ich es peinlich fand. Wie oft habe ich mich für meine Mutter geschämt, weil sie so alberne Sachen machte, nicht nur zu Hause, sondern am liebsten in der Öffentlichkeit.

»Ben.« Pa hatte die Augen geöffnet.

»Ich wollte Ma noch mal sehen«, sagte ich überflüssigerweise.

Pa antwortete nicht und sah mich nur an, ganz ernst, fast starr, bis es mir unangenehm wurde.

»Draußen ist ein Mann von der Polizei«, sagte ich deshalb. Ich wusste überhaupt nicht, was ich sonst sagen sollte.

»Kann ich dich alleine lassen?«, fragte Pa mich. Ich nickte.

Zehn Sekunden später, als er die Tür hinter sich anlehnte, bekam ich Panik und wusste nicht mehr, warum ich mich so erwachsen gefühlt hatte, dass ich dachte, ich müsse mich allein von Ma verabschieden.

Mein Herz klopfte. Vorne an Mas blassem Hals entdeckte ich einen winzigen roten Punkt. Blut. Sicher hatte der Arzt Untersuchungen gemacht, um herauszufinden, ob jemand sie vergiftet hatte oder so. Ich dachte wieder an die letzte *Tatort*-Folge und fragte mich, ob Herr Gneist meinen Vater verdächtiger fand als mich. Auf dem Boden neben dem Bett lag eine von Mas Haarnadeln. Ich hob sie auf und tastete unwillkürlich nach meiner linken Hosentasche, aber ich hatte immer noch meine Schlafklamotten an, also verbarg ich die Haarnadel in meiner Hand.

Jemand hatte die roten Vorhänge fast ganz zugezogen, vielleicht Pa, vielleicht der, der Ma aufs Bett gelegt hatte, und so war das Schlafzimmer in rotes Licht getaucht. Nur dort, wo der Spalt zwischen den Vorhängen das Licht ungefiltert hereinließ, fiel ein schmaler Lichtstreifen auf das Bett und zog einen senkrechten weißen Strich über Mas linke Wange und weiter unten über ihr linkes Handgelenk, als hätte ein Jedi-Ritter ihr mit seinem Lichtschwert soeben die Hand abgehackt und die Lichtspur wäre gerade noch zu sehen. Ma war ein Science-Fiction-Fan. In *Star Wars* hätte sie jetzt tapfer mit ihrer anderen Hand weitergekämpft, und wäre Ma selbst der Leuchtstrich aufgefallen, gut möglich, dass sie sich sofort mit lautem Kriegsgeheul in einen Kampf gestürzt hätte. Genau so war meine Mutter. Wenn sie gute Laune hatte, jedenfalls. Aber sie hatte keine gute Laune. Sie war tot.

Ich streckte die Hand aus und berührte Mas Wange. Eine kalte Wange ist nichts Besonderes: Wenn man im Winter spazieren geht, kann man sie bei sich selbst fühlen. Aber das hier war eine andere Kälte und ich gruselte mich und zog meine Hand schnell zurück.

Genau da streifte mich etwas am Ärmel, und ich zuckte zusammen, als hätte ich einen Stromschlag bekommen.

»Krümel, Mann!«, entfuhr es mir. Ich hatte nicht gemerkt, wie er ins Zimmer gekommen und dicht neben mich getreten war.

Krümel sah mich nicht an. Sein Blick war stur auf Mas Gesicht gerichtet. Auf einmal kam er mir kleiner vor als sonst, wie er da in seinem hellblauen Schlafanzug mit den grünen Teddybären neben mir stand. Wie ein Schlafwandler streckte er seine Hand aus und legte sie auf Mas Haare. Dann streichelte er sie langsam von der Schläfe abwärts bis zum Kinn.

»Es stimmt nicht, oder?«, murmelte Krümel. »Sie ist nicht ganz wirklich weg?«

Er sah mit einem Mal gar nicht mehr abwesend aus, sondern hellwach. Seine Wangen waren rot gefleckt vom Weinen, und seine blauen Augen fixierten mich, und ich atmete ein und aus und ein und aus, genau wie Pa vorher, und hoffte, dass irgendetwas oder irgendjemand mich davor retten würde, eine Antwort geben zu müssen. Aber es kam niemand.

»Nein, vielleicht ist sie nicht ganz weg«, sagte ich dann und dachte, dass das die Wahrheit war. Eine Art von Wahrheit jedenfalls.

Plötzlich zog er etwas aus seinem Schlafanzugärmel und steckte es blitzschnell in den Ärmel von Mas Nachthemd.

»He, was machst du denn?«, zischte ich leise, als würde Ma schlafen und ich wollte sie nicht wecken.

»Das war eine Feder«, flüsterte Krümel zurück. »Die kann sie mitnehmen, und wenn sie im Himmel ist, schickt sie sie mir wieder runter, und dann weiß ich, dass sie gut angekommen ist.«

Krümel schob seine kleine Hand in meine und drückte meine Finger so fest zusammen, dass ich nicht einfach wieder loslassen konnte. Und so standen wir noch ein paar Sekunden länger Hand in Hand gemeinsam vor unserer toten Mutter, und ich überlegte, ob jetzt vielleicht der Zeitpunkt gekommen war, ihn nicht mehr Krümel, sondern Karl zu nennen.

# DAVOR

*Die Botanisiertrommel bekomme ich zu meinem siebten Geburtstag.*

*»Was ist das denn?«, fragt Pa amüsiert, als ich sie ausgepackt habe.*

*»Das ist die Botanisiertrommel von meinem Urgroßvater«, sagt Ma. Ich verstehe das Wort nicht. Butterisier-Trommel? Das Ding sieht aus wie eine kleinere Ausgabe unseres Badezimmermülleimers, nur mit einem langen Riemen, der an beiden Enden befestigt ist. Ma nimmt mir die Trommel ab und öffnet vorsichtig an der einen Seite eine Art Deckel. Sie stutzt, schnuppert an der Öffnung und hält mir die Trommel vors Gesicht. Ich schnuppere auch. Es riecht stark und würzig, nach Natur.*

*»Früher hat man darin Blätter gesammelt«, sagt Ma jetzt, und ich schaue in das längliche Gefäß, dessen Inneres in Fächer unterteilt ist. »Damit die Blätter unterwegs nicht kaputtgehen und man sie zu Hause bestimmen kann.«*

*»Was ist denn das … bestimmen?«, frage ich.*

*»Das, was du dauernd machst.« Ma lacht ihr helles Lachen. Pa lächelt jetzt auch. Er fasst vorsichtig in meine linke Hosentasche und zieht heraus, was einmal ein Blatt war und jetzt nur*

*noch ein dunkelgrünes Gerippe ist, an dem Fetzen von hellerem Grün hängen. Ein Buchenblatt, ich habe ganz vergessen, dass ich es eingesteckt hatte.*

*»Buche, hm?«, sagt Ma.*

*»Hängebuche«, sage ich stolz.*

*Zu meinem achten Geburtstag, oder jedenfalls kurz danach, bekomme ich Krümel, meinen Bruder. Seine winzigen Ohren sind so rund und verschnörkelt und glänzend glatt wie die Kamelienblätter, die ich neulich im Gewächshaus im Zoo geklaut habe, als niemand hinsah. Am liebsten würde ich seine kleinen Ohren pflücken und in meine Botanisiertrommel einsortieren wie zwei exotische Pflanzenteile.*

# SONNTAGNACHMITTAG

Um Punkt zwei klingelte es. Zwei kleine dicke Männer in zu engen schwarzen Hemden und zu großen schwarzen Anzügen kamen herein, und während der eine sich mit einem nicht mehr ganz weißen Taschentuch den Schweiß von der Stirn wischte, trat der andere nach vorne und schüttelte Pa, Tante Gerda und mir übereifrig die Hand.

»Bestattungsinstitut Rose«, schnaufte er. »Seggler …«

»… und Koch«, fügte der andere hinzu, der jetzt auch mit seinem Taschentuch fertig war.

Vielleicht wäre es mir gar nicht aufgefallen, wenn sie ihre Namen nicht so schnell hintereinander gesagt hätten. Aber so fiel mir die unfreiwillige Parodie auf Deutschlands größten Waffenhersteller sofort auf: Heckler und Koch. Pistolen, dachte ich. Sturmgewehre, Maschinenpistolen. Krümel hätte sich noch besser ausgekannt, seine Begeisterung für Waffen brachte Ma zur Verzweiflung. Jeder Stock und jede Wurst wurde zur Pistole: Peng! Als Herr Koch mir die Hand schüttelte, grinste ich schon, bei Herrn Seggler lachte ich laut. Peng, peng! Und dann musste ich lachen wie ein Irrer, sodass Seggler und Koch mich vermutlich für nicht ganz dicht hielten. Es war nicht so wie im Film, wo die Leute irre lachen, und dann geht das Lachen irgendwann in ein Weinen über, trotzdem brauchte ich mindestens eine Minute, bis ich mich wieder beruhigt hatte.

Und das war das erste Mal, dass mir Ma erschien. Ich dachte kurz, dass es vielleicht das war, was man einen Flashback nennt, aber eigentlich wusste ich, dass man bei einem Flashback etwas sieht, was genau so schon einmal passiert ist, und so war es nicht. In ihrem grasgrünen Lieblingskleid stand Ma nämlich auf einmal genau hinter Herrn Seggler und zwinkerte mir zu. Ihre Finger hielt sie wie Hasenohren hinter seinen Kopf, so wie man es bei Fotos macht, um jemanden zu ärgern. Bevor ich irgendetwas sagen konnte, legte sie breit grinsend einen Finger an den Mund und verschwand, verblasste einfach, bis sie nicht mehr zu sehen war. Ob die anderen sie auch gesehen hatten? Nein. Alle starrten nur mich an, als sei ich der Geist. Alle außer Pa, der aussah, als hätte er von meinem unheimlichen Lachanfall nicht das Geringste mitbekommen, als würde er gar nichts mehr mitbekommen.

Danach ging alles sehr schnell. Seggler und Koch gaben Tante Gerda ein blassgelbes Formular und plötzlich war da eine Bahre und ein riesiger weißer Plastiksack mit einem sehr langen Reißverschluss. Die Männer sprachen wenig und tauschten viele nüchterne Blicke, dann gingen sie ins Schlafzimmer und kamen Augenblicke später wieder heraus, die Bahre zwischen sich. Mas Körper hatte sich in einen Sack mit klar erkennbarer Form verwandelt, so wie man das aus Fernsehkrimis kennt. Das Plastik knirschte künstlich, als Seggler und Koch mit der Leiche meiner Mutter die Wohnung verließen und dabei unter dem Gewicht ächzten, wie Bestatter eigentlich nicht ächzen sollten, schließlich ist das ihr Job.

Wenig später kletterte ich neben Krümel auf den Rücksitz von Tante Gerdas winzigem Ford Fiesta, dessen dunkelrote Farbe an manchen Stellen so ausgeblichen, beinahe gelblich ist, dass wir alle das Auto nur den »Pfirsich« nennen.

Tante Gerda startete den Pfirsich, und während dieser erst ein lautes, ratterndes Geräusch und dann ein leises, klickendes von sich gab, das ein wenig so klingt, wie wenn jemand auf die Straße spuckt, um dann mit einem Satz nach vorne loszuschießen, fiel mein Blick auf Mas uralten hellblauen VW Golf. Eine junge Polizistin ging drum herum und versuchte offenbar, sich einen Überblick zu verschaffen, wie es im Inneren des Autos aussah. Große Freude würde sie nicht haben, wenn Pa ihr nachher das Auto aufschließen würde. Mas Auto war eine Müllhalde. Zwischen Schokoriegelpapieren und halb leeren Wasserflaschen türmten sich zerknüllte Google-Maps-Ausdrucke von all den Orten, an denen meine Mutter in den letzten Jahren als Bühnenbildnerin gearbeitet hatte. Dazwischen vertrocknete Blumen, die sie für uns gepflückt und dann im Auto vergessen hatte, und Krümels Stöckesammlung.

Natürlich bemerkte ich, dass Tante Gerda weinte, als wir den kurzen Weg zu ihrer Wohnung zurücklegten, obwohl sie alles dafür tat, dass wir es nicht merkten. Sie saß wie immer übertrieben aufrecht am Steuer, ohne mit dem Rücken die Lehne des Sitzes zu berühren, beide Hände relativ weit oben am Lenkrad, den Kopf leicht schräg gelegt. Im Rückspiegel sah ich die Tränen über ihre linke Wange laufen und, weil sie sie nicht wegwischte, im Kragen ihrer hellblauen Bluse verschwinden. Krümel hätte von seinem Platz aus dasselbe auf ihrer rechten Gesichtshälfte beobachten können, aber er sah aus dem Fenster. Seit er seine Grabgabe in Mas Ärmel deponiert hatte, wirkte er ruhig und zufrieden.

Tante Gerda schaffte es, aus dem Auto auszusteigen, sich unbemerkt das Gesicht trocken zu wischen und uns mit einem Lächeln aus dem Auto herauszuhelfen. »Ich weiß, dass das komisch klingt, aber wir sollten etwas essen. Eure Mutter wäre nicht begeistert, wenn ihr das jetzt vergessen würdet.«

»Und was isst Pa?«, fragte Krümel spontan.

»Er isst sicher später auch was«, versicherte ihm Tante Gerda. Ich konnte an ihrem Gesicht sehen, dass sie daran genauso viele Zweifel hatte wie ich, aber Krümel akzeptierte die Antwort.

»Dann aber Schokokuchen«, sagte er.

»Schokokuchen zum Mittagessen«, bestätigte meine Tante, als sei es das Normalste auf der Welt.

Es gab Schokokuchen mit bunten Streuseln, wie Krümel ihn am meisten liebte. Und auch wenn das vielleicht kaum zu glauben ist: Wir redeten Quatsch, während wir den Kuchen machten, Krümel zwickte mich in den Po, und ich kitzelte ihn unter den Armen, wie an jedem anderen ganz normalen Tag auch.

»Liest du mir ein Märchen vor?«, fragte Krümel Tante Gerda später. Sein Mund war rundherum mit Schokolade verschmiert.

Tante Gerda holte das große, schwere Märchenbuch, das immer auf ihrer Kommode bereitlag. Krümel war in der Märchenphase.

*»Sterntaler«*, schlug er vor, und Tante Gerda blätterte.

Ich setzte mich dazu, weil meine Tante so unglaublich gut vorlesen kann wie niemand sonst, den ich kenne. Ihre Augen blitzen, ihre Stimme fährt Achterbahn und die langweiligste Geschichte wird zum Thriller.

»Es war einmal ein kleines Mädchen, dem waren Vater und Mutter gestorben …«, las Tante Gerda und verstummte.

Krümel sah mich mit großen Augen an, dann klammerte er sich plötzlich an meine Schulter wie ein verzweifelter kleiner Affe und fing wieder an zu weinen. Tante Gerda wiederum legte ihren Arm um mich.

Ist es nicht auffällig, dass Aschenputtel keine Mutter mehr hat, sondern, genau wie Schneewittchen und Hänsel und Gretel, nur eine böse Stiefmutter? Brüderchen und Schwesterchen sind Waisen, Goldmarie und Pechmarie haben keinen Vater. Ohne Probleme könnte man sicher noch zehn weitere Beispiele für elternlose Märchenhelden finden. Die meisten Märchen sind wirklich nicht zum Vorlesen für Kinder geeignet, die gerade ein Elternteil verloren haben.

Es waren mir zu viele Umarmungen an diesem Tag. Ich schälte mich aus der Umarmung heraus und zog mich ins Bad zurück, wo ich mich auf den Wannenrand setzte. Zusammen mit einem abgerissenen Knopf und Mas Haarnadel zog ich mein Handy aus der Hosentasche. Ich telefoniere nicht gerade gerne, aber heute musste es sein.

Janus ist ein Handyjunkie. Natürlich meldete er sich gleich nach dem ersten Klingeln.

»Hi?« Seine Begrüßung klang atemlos und cool, so wie er klang, wenn er mit den Skateboardjungs unterwegs war.

»Hi!«, anwortete ich, so beiläufig wie möglich, während ich Knopf und Haarnadel zurück in die linke Hosentasche fummelte. Gleich würde er ohnehin vom Skateboard fallen, wenn ich ihm erzählte, was heute passiert war.

»Ben, wo steckst du?«, fragte Janus.

»Ich bin bei meiner Tante«, sagte ich. Janus wusste, dass Tante Gerda ständig bei uns war, wir aber fast nie bei ihr.

»Uiuiui, ist was passiert?«, fragte Janus, und ich konnte das Grinsen hören, das sich dabei auf seinem Gesicht breitmachte, inklusive Grübchen auf beiden Wangen. Im Hintergrund hörte ich andere Stimmen und Gelächter.

»Nein, also, ich …«, fing ich an und wusste nicht weiter.

»He, Ben, sorry«, unterbrach Janus mich, »ich bin mit den Jungs unterwegs. Kann ich dich später anrufen?«

»Ja. Klar«, sagte ich.

Das konnte dauern. Ich sah seine sportliche Gestalt als Silhouette vor mir, die sich gegen die goldene Oktobersonne abzeichnete wie bei einem Filmhelden, der gleich die Welt vor dem Untergang rettet. Wenn Janus und die Jungs aus seiner Straße skateten, dann immer mindestens bis zum Einbruch der Dunkelheit.

In Tante Gerdas Wohnzimmer war nicht nur Krümel in Tante Gerdas Schoß eingeschlafen, auch meine Tante döste, ihre große Hand auf dem Haar meines Bruders, das im rötlichen Nachmittagslicht weich und hell aussah wie der Flaum, mit dem Vögel am liebsten ihre Nester polstern.

Ich ging in den Garten von Tante Gerdas Mietshaus. Zehn Minuten lang stand ich zwischen den akkurat angelegten Beeten herum und starrte auf die Astern und Sonnenblumen, die im Nachmittagslicht leuchteten wie unzählige kleine Sonnen. Alle schauten in Richtung der untergehenden Sonne, und ich dachte daran, wie Ma mir einmal erklärt hatte, dass Sonnenblumen ihre Köpfe nach der Sonne ausrichten. Völlig egal, was drum herum passiert, immer und unaufhaltbar drehen die Sonnenblumen ihre Köpfe zur Sonne. Ich pflückte eine Zwetschge vom mickrigen Zwetschgenbaum und steckte sie in den Mund. Sie knackte, als ich hineinbiss, und schmeckte süß und würzig, genau richtig.

Gegen Abend rief Pa an. Tante Gerda gab das Telefon an mich weiter.

»Ben?«, fragte Pa auf der anderen Seite der Leitung mit tonloser Stimme.

»Ja?«

»Ihr schlaft heute bei Gerda, ja? Vielleicht morgen auch noch, oder einfach so lange, bis hier alles geklärt ist.«

»Ja, okay«, sagte ich, ohne nachzuhaken, was alles geklärt werden musste. Ich wartete, ob noch etwas kam. In der Leitung war es ein paar Sekunden still.

»Ben, du musst bis zu den Herbstferien erst mal nicht mehr in die Schule.«

Die Herbstferien waren in einer Woche.

»Okay. Ja, ich überleg's mir«, sagte ich und dachte daran, dass Ma immer darauf bestanden hat, dass ich sogar mit Rotznase und Husten noch in die Schule gehe.

»Ich gehe auch erst mal nicht arbeiten«, fügte Pa hinzu, und dann, nach einer Pause: »Gib mir noch mal Krümel, ja?«

»Ja, okay.«

Krümel hielt das Telefon mit beiden Händen umklammert und starrte beim Zuhören mit großen runden Augen ins Leere, irgendwo hinter Tante Gerdas Wohnzimmerwand. Keine Ahnung, was Pa ihm sagte. Vielleicht, dass alles gut werden würde oder dass Ma jetzt im Himmel war. All das eben, was man einem Sechsjährigen sagt, wenn seine Mutter stirbt, einem Vierzehnjährigen aber nicht mehr.

Natürlich rief Janus nicht mehr an. Vermutlich hatte er es einfach vergessen. Das war nicht das erste Mal. Trotzdem war ich enttäuscht. Muss ein Freund es nicht im Gefühl haben, wenn man ihn braucht? Oder ist das nur so ein Filmkitsch, der sich eben in den Köpfen von normalen Menschen festhakt?

*janus, es ist wirklich was passiert*, schrieb ich ihm. *heute morgen ist meine mutter gestorben. die polizei war da. ruf an!* Dann löschte ich alles wieder und schrieb nur: *meine mutter ist tot*. Und dann machte ich das Handy aus.

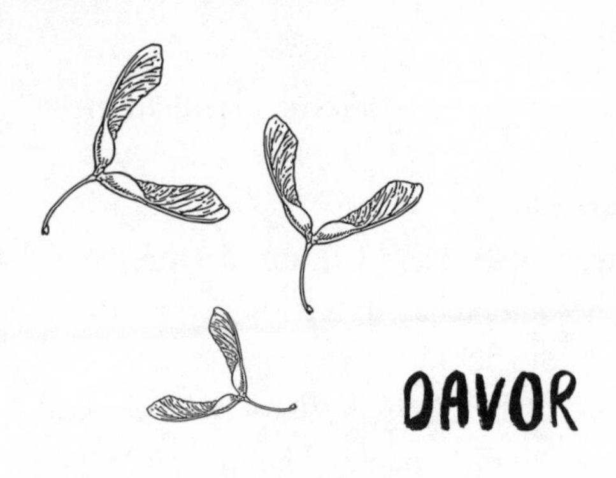

# DAVOR

*Sonntags gehen wir immer im Wald spazieren. Vieles, was meine Familie macht, habe ich irgendwann nicht mehr mitgemacht, zum Beispiel den Sonntagmorgen im Bett oder das Wurstschnappen an den Geburtstagen. Aber in den Wald bin ich immer weiter mitgegangen, jeden Sonntag.*

*»Wir sind Waldmenschen«, sagt Ma und meint damit sich selbst und ihre Vorfahren: ihren Urgroßvater mit der Botanisiertrommel, ihren Vater mit dem Schnitzmesser. Und mich. Pa liegt lieber auf einer Wiese in der Sonne und Krümel ist der Wald egal. Solange er wild herumspringen und dabei Stöcke wie Gewehre um sich herumschwingen kann, ist ihm jeder Aufenthaltsort recht. Aber Ma wird irgendwie ruhiger, wenn sie im Wald ist, weniger aufgedreht. Bei mir fällt das nicht so ins Gewicht.*

*Das Beste am Wald sind die Gerüche. Jeden Sonntag stehe ich irgendwann zwischen den Bäumen und mache die Augen zu, schmecke einfach die Luft. Es riecht nach aufgewühlter Erde, nach feuchtem Moos und ein wenig streng nach Harz von dem Stamm, an den ich mich lehne. Nach Pilzen, egal, ob es schon welche gibt oder noch nicht, nach einer Wanze, die ängstlich an-*

*gefangen hat zu stinken, weil sie dachte, ich würde auf sie drauftreten, nach frisch gesägtem Holz und nach der Kühle, die sich zwischen den dicht stehenden Bäumen sammelt.*

*»Spür mal, wie der Boden nachgibt«, sagt Ma, und ich wippe auf dem weichen, moosigen Boden hin und her, ohne das Gleichgewicht zu verlieren, und der Boden gibt winzige, kaum hörbare Knister- und Schmatzgeräusche von sich. Ich nicke zu Ma rüber. Inzwischen bin ich genauso groß wie sie. Ma nickt zurück, und ihre Augen sehen noch grüner aus als sonst, fast so, als ob sie den Wald mit einem Blinzeln abfotografiert hätte.*

*Pa und Krümel sind schon weitergegangen, aber wir stehen hier noch ein paar Minuten, festgewachsen wie zwei jahrhundertealte Kiefern, ziehen den Geruch ein wie zwei Parfümeure und lassen den fetten grün schillernden Rosenkäfer den ganzen Waldweg kreuzen, bevor wir weitergehen. Für diese paar Minuten vergesse ich alles, was mich an meiner Mutter nervt.*

# MONTAGVORMITTAG

Man denkt immer, dass man an solchen Tagen nicht schlafen kann, aber das stimmt nicht. Ich schlief tief und gut, und als meine Tante mich weckte, fühlte ich mich ausgeruht. Tante Gerda hingegen sah aus, als hätte sie kein Auge zugetan. Ihre hellen Haare waren zerzaust wie Holzwolle, und obwohl sie sich nie schminkte, wirkte ihr Gesicht irgendwie noch ungeschminkter als sonst.

»Morgen«, murmelte ich und musste gleichzeitig gähnen. Krümel lag nicht mehr neben mir auf dem Schlafsofa.

»Karl ist weg«, sagte Tante Gerda ohne Einleitung. »Er war schon verschwunden, als ich aufgestanden bin, und die Wohnungstür stand offen. Hast du irgendeine Ahnung, wo er sein könnte?«

»Vielleicht ist er allein in den Kindergarten gegangen? Das hat er schon mal gemacht.«

Ich wusste noch, dass Pa sich damals schreckliche Sorgen gemacht hatte. Krümel hatte das überhaupt nicht verstanden. »Ich geh gern alleine«, hatte er nur gesagt, als Pa und ich ihn auf dem Weg einholten. Manchmal finde ich Krümel selbstständiger als mich, und dass ihm etwas passiert, von dem er nicht will, dass es passiert, erscheint mir unmöglich. Ma nannte mich und Krümel manchmal im Spaß »Traumpilz und Rumpelstilzchen«. Rumpelstilzchen kennt jeder, das ist dieses Männchen, das immer laut schreit und auf seinem Recht beharrt, das Königinnenkind zu bekommen, und sich dann am Ende vor lauter Wut selbst entzweireißt. Rumpelstilzchen, das ist mein Bruder. Na ja, und der Traumpilz erklärt sich wohl von selbst.

Ich versuchte, Tante Gerda zu beruhigen, und versprach ihr, nach Krümel Ausschau zu halten und sein Verschwinden bei der Polizei zu melden. Vielleicht akzeptierte sie deshalb auch, dass ich allein dort hinging.

Ich fand es aufregend, ins Polizeipräsidium zu gehen, das bisher nur wie ein riesiges, unbewegliches Monster auf meinem Schulweg gelegen hatte. Irgendwie findet es wohl jeder auf irgendeine Weise interessant, zur Polizei zu gehen, jedenfalls, wenn man nicht gerade in Handschellen dorthin transportiert wird.

Vor Herrn Gneists Tür saß ein junger Polizist, der in seinen Schoß schaute, wo er seine Polizeimütze hin und her drehte wie einer, der Mist gebaut hat und zum Schulleiter bestellt worden ist.

Herr Gneist hingegen war bestens gelaunt. »Wie geht es dir?«, fragte er ohne Umschweife. Es schien ihn nicht zu stören, dass ich meinen Vater nicht dabeihatte.

»Okay.« Ich steckte meine Hand in die Hosentaschen, tastete nach Mas Haarnadel.

»Hast du dich von deiner Mutter verabschiedet?«

»Ja.« Ich hatte keine Lust auf Small-Talk. »Karl ist weg«, schob ich deshalb hinterher. Komisch, dass ich nicht automatisch »Krümel« sagte.

»Dein kleiner Bruder.«

»Ja. Seit heute Morgen.« Ich erwartete, dass er das beunruhigend fand. Schließlich war Krümel erst sechs.

»Er wird schon wieder auftauchen«, sagte Herr Gneist aber. »Er muss ja auch erst mal mit der Situation klarkommen.«

Ich rechnete damit, dass er jetzt mit irgendwelchem Psychokram anfangen würde, Verlust der Mutter, Schock und so weiter, aber Herr Gneist blieb bei der Sache. Er hatte noch Fragen und vermutlich hatte er wenig Zeit. Und für verschwundene Kinder war er offenbar auch nicht zuständig.

»Ben, kannst du dir vorstellen, dass deine Mutter Suizid begangen hat? Also, Selbstmord«, fügte er hinzu.

»Ich weiß, was Suizid ist«, sagte ich. Darum ging es hier also.

Ich merkte, dass ich die Frage beleidigend fand. Für Ma, mit ihren bunten Klamotten und ihren lauten Stimmungsschwankungen und ihrer Lust auf exotisches Essen, aber zugleich auch irgendwie für mich. Ich wollte keiner sein, dessen Mutter sich umbringt.

»Nein, glaube ich nicht. Nein, auf keinen Fall.«

Er sah mir aufmerksam ins Gesicht, als suche er nach etwas, das ich verbergen wollte.

»Und ich glaube auch nicht, dass mein Vater sie vergiftet hat, oder mein Bruder, und dass er darum jetzt verschwunden ist«, fügte ich etwas schärfer hinzu. Ich weiß nicht, warum mich dieser Kripo-Kommissar jedes Mal so aggressiv machte, obwohl er kaum etwas sagte. Nur durch seinen Blick.

»Ich auch nicht«, sagte Herr Gneist freundlich. »Im Moment sieht es eher nach plötzlichem Herzstillstand aus.« Er reichte mir ein Blatt Papier, das ich als den Totenschein wiedererkannte. *Plötzlicher Herzstillstand (verm.)* stand da in akkurater schwarzer Schrift bei *Todesart* direkt unter Mas Geburtsdatum.

Vermutlich, vermurkst, vermaledeit. Janus hat diesen Spleen, den er das »Dreier-Ding« nennt: Er benutzt oft drei Worte hintereinander, wenn er etwas beschreibt, einfach, weil es gut klingt. Und ich habe mich bei ihm angesteckt. Ich gab das Blatt zurück an Herrn Gneist.

»Und, haben Sie im Auto meiner Mutter noch was gefunden?« Ich konnte mir den spöttischen Unterton nicht verkneifen.

»Nein«, sagte Herr Gneist. Mehr gab es dazu wohl nicht zu sagen. Er reichte mir seine Visitenkarte. »Gib Bescheid, wenn dir noch was einfällt. Und auch, wenn ihr deinen Bruder bis heute Nachmittag noch nicht gefunden habt.«

Ich wollte gehen, aber Herr Gneist räusperte sich.

»Ach, Ben«, hielt er mich zurück, »ich wollte, dass du noch mit jemandem sprichst.«

Wie auf Kommando öffnete sich seine Bürotür. Ich rechnete mit dem jungen Mützendreher-Polizisten, aber eine Frau kam herein. Sie war klein und rundlich und hatte Pausbacken und das, was Ma immer spöttisch eine PKF nannte – die praktische Kurzhaarfrisur, die sich fast alle Frauen zulegen, sobald sie Kinder bekommen. Ma meinte es genauso gemein, wie es klang.

»Frau Meggler«, stellte mir Herr Gneist die Frau vor, die mich zurückhaltend, aber freundlich aus ihren runden Augen ansah. Sie war wirklich das genaue Gegenteil meiner Mutter. Ich nickte ihr zu und wartete auf weitere Erklärungen.

»Ich arbeite beim psychosozialen Betreuungsdienst«, sagte Frau Meggler. Sie sagte es so, als sei es ihr irgendwie peinlich. »Wir kümmern uns um Kinder und Erwachsene, die etwas Schlimmes erlebt haben, so wie du und deine Familie.«

Also doch noch Psychokram, dachte ich und warf einen Blick hinüber zu Herrn Gneist, der immer noch hinter seinem Schreibtisch saß und aufmerksam zu mir herüberschaute. Ich blieb still.

»Wenn jemand plötzlich krank wird oder stirbt, dann kann das unerwünschte Reaktionen auslösen. Schlaflosigkeit zum Beispiel.«

Es klang sachlich und sehr theoretisch, aber gleichzeitig war Frau Megglers Tonfall irgendwie nervös. Ich schwieg immer noch, während ich Frau Meggler ins Gesicht sah.

»Wir leisten auch Hilfe bei den Dingen, die erledigt werden müssen: Traueranzeigen, Grabsteinauswahl. Und bei der Trauerarbeit. Es gibt Gesprächsgruppen …« Frau Meggler verstummte, der letzte Satz kippte ihr sozusagen weg. Sie sah mich aus ihren runden, veilchenblauen Augen an. Mein Schweigen stand groß und unangenehm zwischen uns.

»Jaaa«, sagte ich gedehnt. »Danke für das Angebot. Ich

denke mal darüber nach.« Ich sagte es so, als hätte sie mir eine beheizbare Bettdecke angeboten.

Beim Verlassen des Gebäudes fiel mir plötzlich ein, wo ich nach Krümel suchen musste. Auf direktem Weg ging ich zum Schillerpark und bog hinter dem Spielplatz mit den alten Apfelbäumen zu den Haselnusssträuchern ab. Die Büsche sind so dicht, dass man sich gut darin verstecken kann. Trotzdem sah ich Krümel auf Anhieb. Seine rote Jacke war nicht zur Tarnung geeignet, außerdem versuchte er gar nicht, sich zu verstecken. Er saß einfach im Gebüsch und schichtete konzentriert kleine Bröckchen Erde zu einer Art Hügel auf.

»Hi, Ben«, sagte er, als ich mich neben ihn stellte.

»Tante Gerda sucht dich«, antwortete ich statt einer Begrüßung.

»Okay.« Er ließ sich von meinem Auftauchen überhaupt nicht ablenken. »Ich komm gleich mit, ich muss nur noch das hier fertig machen.«

»Was ist das?«

»Masuleum für Ma«, nuschelte Krümel. Die Ärmel seiner Jacke waren bis zu den Ellenbogen mit feuchter, lehmiger Erde beschmiert, seine Wangen glühten. Ich suchte in seinem Gesicht nach Tränenresten, aber er sah eher fröhlich aus.

»Meinst du eine Gedenkstätte?«, fragte ich, obwohl mir klar war, dass Krümel den Unterschied zwischen einem Mausoleum und einer Gedenkstätte nicht kennen konnte. Aber ich wollte irgendetwas sagen.

»Mhm.«

Unter den Erdbröckchen guckte etwas Rotes hervor, das ich auf den zweiten Blick als Mas Lieblingshalstuch identifizierte. Daneben stach ein kleiner Fuß waagerecht aus der Erde. Krümels geliebte Supermanfigur. Also doch ein Mausoleum, dachte ich. Und dass Ma sich gefreut hätte. Krümel machte sich sonst nicht so viele Gedanken darüber, was anderen Leuten gefallen könnte.

Ich bückte mich und hob einen Kiesel auf, der direkt vor meiner Schuhspitze lag. Er war glatt und rund wie eine winzige Kanonenkugel. Ich rieb ihn an meiner Hose ab und steckte ihn in die Tasche zu den anderen Dingen. Dann blieb ich neben Krümel stehen, bis von Superman und Mas Halstuch nichts mehr zu sehen war, nur noch ein kleiner Hügel aus feuchter Erde, ein Grabhügel in Miniaturgröße.

# DAVOR

*»Komm mal hier rüber!«, schreit Krümel mit seiner lautesten Rumpelstilzchenstimme. Ich gehe über das versengte Gras, das mich in die nackten Fußsohlen sticht, hinüber zu ihm. Krümel steht vor dem Rhododendronbusch, der den Garten des Ferienhauses zum Nachbargrundstück abgrenzt.*

*»Guck mal!« Er zeigt auf ein Loch im Busch. Der Rhododendron ist gigantisch. Ein Meer von starren, störrischen Blättern, die sich mit der Hand keinen Zentimeter verbiegen lassen, ohne zu brechen, die sich aber blitzschnell zusammenrollen können, wenn es dem Strauch zu kalt wird. Das weiß ich von Ma, die mir viel über das erzählt hat, was sie »die Klugheit der Pflanzen« nennt. Aber einen so riesigen Rhododendron habe ich noch nie gesehen.*

*Krümel kniet sich vor das Loch, schon ist er hineingekrabbelt und verschwunden. »Komm auch rein, Ben!«, ruft er aus der Höhle. Mein Bruder kommandiert gerne.*

*Ich drehe mich um, unsere Eltern sind mit Auspacken beschäftigt. Eigentlich bin ich zu alt für diese Art von Höhlenspiel. Womöglich ist es der letzte Urlaub, den ich mit meinen Eltern verbringe, nächstes Jahr will ich vielleicht mit Janus wegfahren.*

*Aber ich bin neugierig. Vorsichtig lasse ich mich auf die Knie nieder und krabble ein kleines Stück in die Höhle hinein. Der Boden unter dem Busch ist unbewachsen, die feste, lehmige Erde unter meinen nackten Knien ist glatt und kühl, auch die Luft ist viel kühler als die heiße Mittelmeerluft draußen. Der ganze Busch ist wie von innen ausgehöhlt, und man kann sich gut darin bewegen, wenn man auf die wenigen quer wachsenden Äste aufpasst.*

*Krümel ist schon weiter hineingekrochen, er sitzt in einem Hohlraum ein Stück weiter drinnen und lacht mir entgegen. Die Höhle hat ein undurchdringliches Dach, das meinem Bruder die grünliche Gesichtsfarbe eines Außerirdischen verleiht.*

*»Die beste Höhle der Welt«, sagt Krümel, seine Ohren leuchten rot vor Begeisterung gegen das grüne Licht an.*

*Ich schaue mich um, betrachte das aus der Erde ragende, kompliziert verschlungene Wurzelwerk und halte nach den kleinen Lebewesen Ausschau, die hier vermutlich hausen, sehe aber keine einzige Ameise, keinen Käfer, keine Laus. Wir sind die einzigen Bewohner.*

*»Hier vergraben wir einen Schatz«, verkündet Krümel.*

# MONTAGNACHMITTAG

Tante Gerda hielt wenig von meiner Idee, wenigstens kurz bei Pa vorbeizuschauen, aber sie war damit beschäftigt, Krümel in die Badewanne zu stecken, und hatte deshalb keine Zeit, mit mir zu diskutieren, sondern ließ mich gehen.

In unserer Wohnung stehen immer alle Türen offen und aus jedem Zimmer flutet ein andersfarbiges Licht in den Flur hinein. Pa musste sich bei seinem Einzug angeblich erst an die Farben gewöhnen, in denen Ma die Wände gestrichen hatte, als sie noch allein dort wohnte, aber ich kann mir unsere Wohnung gar nicht anders vorstellen: die Küche sonnengelb, das Wohnzimmer mintgrün und das Schlafzimmer und unser Kinderzimmer hellrot. Wenn alle Türen offen stehen, entsteht im Flur ein warmes Lichtgemisch, in dem unzählige winzige Staubpartikel in der Luft schweben wie Feenstaub. Ich mag unseren Flur, wenn er so aussieht, ein bisschen verwunschen, wie Dornröschens Palast, wenn alle Menschen und Tiere darin gerade seit knapp hundert Jahren schlafen.

Heute aber mischte sich Zigarettenrauch in den Feenstaub und mitten im bunten Licht auf dem Boden saß Pa. Er saß genau dort, wo Krümel am Tag zuvor gestanden und geheult hatte. Und er sah nicht im Geringsten märchenhaft aus, sondern eher wie eine dieser trauernden Steinfiguren, die auf Gräbern sitzen und deren Schultern so weit nach vorne gekrümmt sind, dass das Gesicht irgendwo zwischen Knien und Schultern verborgen ist. Von Pas Kopf war nur die kleine runde Glatze auf seinem Hinterkopf zu sehen, sodass er mich erst gar nicht bemerkte. Keine Ahnung, wie er es in dieser Position schaffte, zu rauchen. Im Hintergrund lief Billie Holiday.

Meinen Vater weinen zu sehen, war mir irgendwie unheimlich. Ma weinte ständig. Sie weinte, weil ein Film traurig war oder ein Musikstück sie rührte, weil sie meine tote Oma vermisste oder mit Pa gestritten hatte. Dabei weinte sie immer völlig ungehemmt, so als sei ihr die Welt in diesem Moment einfach egal. Tränen vermischten sich mit Wimperntusche und liefen in breiten Spuren die Wangen hinunter.

Pa hatte ich noch nie weinen sehen, kein einziges Mal. Aber auch er weinte jetzt, als sei er ganz für sich, ohne Verbindung zur restlichen Welt. Als er mich bemerkte, hob er sein nass geweintes Gesicht dann doch. Linkisch versuchte er nebenbei, die Zigarette zu verstecken, als wollte ich ihn daran erinnern, dass er sonst nur draußen rauchte.

»Ben«, sagte Pa, als sei es völlig selbstverständlich, dass ich plötzlich hier bei ihm im Flur stand, »was sollen wir denn jetzt machen?« Und dann, als ich nicht antwortete, noch einmal: »Was sollen wir nur machen?«

Ich setzte mich neben meinen Vater auf den Boden. Für gewöhnlich trösten Eltern ihre Kinder und nicht andersherum und deshalb wusste ich auch nichts zu sagen. Ich glaube, das war der Moment, in dem ich zum ersten Mal verstand, dass ich meine Mutter wirklich nicht wiedersehen würde, nie mehr. Es fühlte sich an, als würde mein ganzer Körper in Sekundenschnelle mit einer Eisschicht überzogen.

»Pa«, fing ich an und stemmte meine Neugier gegen das Einfrieren, »woran ist Ma genau gestorben?«

Pa schluchzte auf, sodass ich kaum verstehen konnte, was er sagte. »Ich konnte sie nicht retten. Es hat nicht geklappt. Es hat einfach nicht geklappt.«

Ich hatte wieder die Sanitäter vor Augen und die Geräuschabfolge im Kopf. Das Rufen, das Pumpen, das Klackern und die Stille danach, vor allem die Stille danach.

Von Pas vergessener Zigarette fiel ein noch glühender Ascherest auf den Holzboden. Er merkte es nicht einmal. Ich drückte meinen Turnschuh dort auf den Boden, wo die Ascheflocke gelandet war. Direkt neben meiner Schuhspitze blickte mich ein Astloch an, wie das Auge eines großen freundlichen Tiers, das mich trösten wollte.

»Pa, es war wahrscheinlich einfach zu spät«, sagte ich, um irgendetwas zu sagen. Meine Stimme hatte einen merkwürdig quakenden Ton.

Er reagierte nicht, als ich meine Hand auf seinen Arm legte. Sein Kopf fiel wieder zwischen seine Schultern und er weinte lautlos weiter. Seine Schultern zuckten.

Ich sah Mas Gesicht vor mir, erst ihre grünen Augen, die heller wurden, wenn sie wütend war, und den großen Mund, der dauernd quasselte, und dann ihr weißes totes Gesicht, geschlossene Augen, geschlossener Mund. Das Nie-Mehr wurde greifbar, weil Pa so war, wie er war. Gebeugt, zerschmettert, vernichtet. Ich saß noch ein paar Minuten so da, bis mir dieses Dasitzen nur noch sinnlos vorkam. Dann erhob ich mich. Pa hielt mich nicht auf.

Ich hatte kein Ziel, lief einfach die schnurgerade Hauptstraße entlang, setzte gleichmäßig einen Fuß vor den anderen, und hielt den Blick konsequent nach unten gerichtet, auf eine Höhe ungefähr dreißig Zentimeter über dem Bordstein. Die Autos wurden so zum Hintergrundgeräusch. Ab und zu warf jemand aus einem fahrenden Auto eine noch brennende Zigarettenkippe, deren Reste als Funken von der Straße hochspritzten und ein Stück weitersprangen wie verwirrte Glühwürmchen. Hoffentlich war Pas Zigarette von selbst ausgegangen.

Irgendwann fing es an zu regnen, und als hätte der Himmel doch noch bemerkt, dass es etwas zu weinen gab, holte er alles nach, was er in den letzten beiden Tagen verpasst hatte, und überschwemmte augenblicklich den gesamten Gehsteig. Ich lief trotzdem weiter, trat entschlossen mitten in die Pfützen, bis dieses typische quatschende Geräusch verriet, dass das Wasser in den Schuhen angekommen war. Auf den letzten hundert Metern Richtung Wald sprintete ich.

Im Wald hört sich Regen ganz anders an als in der Stadt. Dort fließt der Regen gurgelnd in irgendwelche Löcher oder Rohre ab, um mit tropfenden oder rauschenden Geräuschen anderswo wieder herauszukommen. Der Wald aber trinkt den Regen. Weit oben auf dem Dach aus Blättern und Nadeln trinkt er mit leichtem Trommelgeräusch die eine Hälfte des Regens, beinahe geräuschlos verschwindet die andere Hälfte unten im weichen Boden oder tropft sanft von Ebene zu Ebene immer weiter nach unten, bis alles versickert.

Ich blieb stehen und lehnte mich vorwärts an eine Birke. Dicht vor meinen Augen verschwamm das schwarz-weiße Muster der Rinde zu Schlieren aus Hell und Dunkel, und ich schloss die Augen und hörte meinem eigenen Atem dabei zu, wie er sich beruhigte. Die Rinde fühlte sich auf meinem nassen Gesicht kratzig an, und ich hörte Ma in meinem Kopf, die sagte: »Survival-Tipp: Dort, wo Birken sind, ist auch Wasser«, während ich Krümel vor mir sah, der in kleinen ruckartigen Bewegungen die dünne weiße Haut von der Birke schälte, um zu sehen, ob darunter Käfer wohnen. »Hör auf, die Birke zu häuten«, protestiere ich. Und Ma wieder: »Das macht der nichts, Birken wachsen schnell. Fast so schnell wie du.«

Ich öffnete die Augen, um an der Birke hochzusehen: Sie war schon sehr hoch. Auf jeden Fall erwachsen, dachte ich und schlang, ohne nachzudenken, plötzlich beide Arme um den Baum, umarmte den festen, geraden Stamm und die dünne, abblätternde Haut, diese uralte Festigkeit, lauschte dem leisen Schlucken des Waldbodens und atmete tief ein und aus.

Auf dem Rückweg kam ich an der Bushaltestelle in der Nähe unseres Hauses vorbei. Von den orangen Sitzschalen tropfte an allen Seiten das Wasser herab, in perfekter Symmetrie. Nur zwei Leute standen dort, eine ältere Frau und ein Mädchen. Das Mädchen hatte die Kapuze seines Pullis tief ins Gesicht gezogen. Dass es ein Mädchen war, konnte man nur an der Art erkennen, wie sie dastand: das eine Bein vor dem anderen gekreuzt und dabei beide Beine unnatürlich durchgedrückt. Ich stellte mich dazu.

Ich weiß nicht mehr, was ich mir dabei gedacht habe, jedenfalls suchte ich den Blick des Mädchens. Das Mädchen war etwas älter als ich, und ich brauchte eine ganze Weile, bis ich seinen Blick unter der ins Gesicht gezogenen Kapuze eingefangen hatte. Natürlich schaute es mich genauso irritiert an, wie ich auch schauen würde, wenn mich ein Fremder so anstarrte. Mitten in das nasse Gesicht hinein sagte ich: »Meine Mutter ist gestern gestorben. Einfach so, völlig überraschend, ohne Vorwarnung.« Ich sagte es halblaut und schnell, aber gut verständlich.

Die Augen des Mädchens weiteten sich ein winziges bisschen, gerade so weit, wie man es nicht verhindern kann, auch wenn man gerne will, und natürlich war da Neugier in seinem Blick, aber gleichzeitig auch Unmut über meinen verbalen Überfall. Und dann schaute es wieder weg, entschlossen und dauerhaft. Die alte Frau klammerte sich an den Henkel ihres Einkaufskorbs, starrte angestrengt hinein wie in eine Wahrsagerglaskugel. Ich wartete einen Moment, dann lief ich weiter.

An der Kreuzung vor unserem Haus, genau dort, wo wir uns sonst morgens treffen, um gemeinsam in die Schule zu gehen, holte mich Janus ein. Er hielt mich an der Schulter fest, sodass ich mit einem Ruck mitten in einer Pfütze stehen blieb. »Hey, Ben, was sollte das denn eben mit dem Mädchen?«

Janus war genauso durchnässt wie ich, seine Haare hingen ihm tropfend ins Gesicht. Sein Skateboard hatte er unter den Arm geklemmt.

»Verfolgst du mich?«, fragte ich statt einer Antwort.

»Anders kann man ja nicht an dich rankommen«, sagte Janus.

Regentropfen glitzerten auch in seinen dunklen Augenbrauen. Mir fiel ein, dass ich mein Handy den ganzen Tag noch nicht eingeschaltet hatte.

Es wurde langsam dämmerig um uns herum und die Rücklichter der vorbeifahrenden Autos spiegelten sich in den Pfützen als schlingerndes Feuerwerk. Es sah wunderschön aus.

»Schau mal«, sagte ich deshalb, völlig ohne Zusammenhang, und zeigte auf die Pfütze vor uns, in der sich rote und gelbe Lichtschlieren zitternd mischten. »Irre schön, oder?«

»Ben, deine Mutter ist tot und du singst Loblieder auf Pfützen im Abendlicht, ja? Mann, jetzt bist du wirklich übergeschnappt.« Janus schaute mich von der Seite an.

»Mensch, Ben …«, sagte er dann leise. Er machte eine unklare Bewegung mit dem Arm. Wahrscheinlich wusste er nicht, ob er mich umarmen sollte, schließlich umarmten wir uns nie. Und so ließ er es auch diesmal bleiben. Stattdessen stellte er langsam sein Skateboard auf den Boden und setzte sich drauf. Ohne lange nachzudenken, ließ ich mich neben ihn auf dem Gehsteig nieder. Das Hinterteil meiner Hose saugte sich augenblicklich mit kaltem Wasser voll. Aber das war jetzt auch schon egal.

»Wie ist sie … ich meine, woran ist sie denn gestorben?«, fragte er, ohne mich anzusehen.

»Plötzlicher Herztod oder so.«

»Mitten in der Nacht?«

»Mhm.«

»Und dein Vater ist neben ihr aufgewacht, oder was?«

»Weiß nicht.«

Janus ist der praktischste Mensch, den ich kenne. Er versuchte sofort, sich die Situation genau vorzustellen. Ich war noch nicht einmal auf die Idee gekommen, mir die Frage zu stellen, ob Pa neben meiner toten Mutter aufgewacht war.

»Als ich reinkam, waren die Sanitäter schon da.«

»Gott sei Dank hast nicht du sie gefunden!« Ich dachte genau dasselbe, während er es sagte.

»Ja, und dann?« fragte er weiter, atemlos.

»Arzt, Polizei, Bestattungsunternehmen. Das ganze Programm«, sagte ich, und es hörte sich irgendwie angeberisch an, ohne dass ich es wollte. »Heute Morgen musste ich noch mal aufs Präsidium.«

»Aber deine Mutter war doch total gesund.«

»Sieht nicht so aus.«

»Sie war so …« Janus unterbrach sich, aber ich wusste genau, was er sagen wollte. Lebendig war Ma gewesen, mehr als alle anderen Mütter, die ich je getroffen hatte. Zu lebendig manchmal, für meinen Geschmack.

»Ich mochte deine Ma«, sagte Janus jetzt, sehr leise.

Ich sagte nichts mehr. Das wäre jetzt eigentlich der richtige Augenblick gewesen, um zu weinen, aber ich konnte nicht. Mein Kopf fühlte sich leer an und irgendwie zu leicht, als würde er mir gleich davonfliegen, während die Kälte aus meinem nassen Hosenboden sich langsam zu meinen Schultern hochfraß. Die Ladung schmutziges Regenwasser, die mir das nächste vorbeifahrende Auto ins Gesicht spritzte, ersetzte das Tränenmeer, das ich eigentlich hätte weinen sollen.

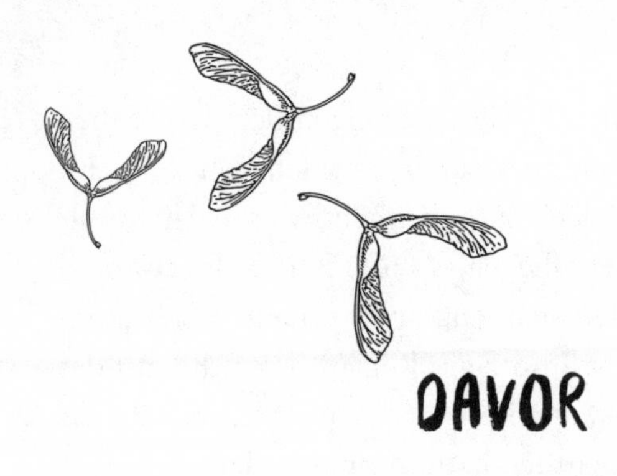

# DAVOR

*Janus hat Holzfällerhände, sagen seine Schwestern. Holzfällerhände?*

*»Na, so große, breite Hände, mit denen man Sachen nur so halten kann, dass sie runterfallen«, sagt Lea und kichert. »Einen Stapel Teller zum Beispiel.«*

*Janus verdreht genervt die Augen, und ich muss lächeln, weil ich an die Tonskulptur denken muss, die Janus in Kunst gemacht hat. Obwohl er sie stundenlang bearbeitet hat, ist sie so klobig und eckig geblieben wie ein Holzklotz. Zwei Tage vor der Abgabe ist sie ihm runtergefallen, und obwohl Janus aufgeheult hat vor Entsetzen, musste er zugeben, dass der Absturz der Skulptur nur unwesentlich geschadet hat.*

*Meine Figur, ein moderner Engel mit Libellenflügeln und Glatze, hat filigrane Fischschuppen. »Ist ja klar«, sagt Janus, »du übst das jeden Sonntag beim Schnitzen im Wald.«*

*Das Gute an Janus ist, dass er überhaupt kein neidischer Mensch ist. Er hat nicht versucht, eine ähnliche Figur zu formen wie ich, und er hat mich auch nicht gefragt, ob ich ihm helfen kann. Er akzeptiert das, was er ist und was er kann, mit einer Gelassenheit, die mir schon immer imponiert hat.*

*»Aber sie taugen auch zu was, die Holzfällerhände«, sage ich zu Lea.*

*»Ach ja, zu was denn?« Ihr Spott ist kaum zu überhören.*

*»Zum Holzbau, passenderweise«, sage ich und meine es gar nicht ironisch.*

*Zu ihrem 45. Geburtstag will ich Ma ein Regal für ihre Lieblingsbücher schenken. Seit ich denken kann, hat sie sie auf dem Boden neben dem großen Bett gestapelt. Jeden Sonntag, wenn Krümel zu ihr ins Bett klettert, erwischt er den Stapel mit einem Fuß und stürzt ihn um. Das Holz für das Regal habe ich im Wald gefunden. Es gibt diese Lichtung mit der kleinen Hütte, und dahinter liegen seit Jahren alte Buchenstämme, die keiner mehr braucht, daneben unregelmäßige kurze Bretter, die aus den Stämmen gesägt wurden, so als hätte jemand etwas mit ihnen vorgehabt, was er dann nicht mehr zu Ende führen konnte. Fünf von diesen Brettern habe ich nach Hause geschleppt.*

*Das kleine Regal soll drei Querbretter haben. Aber ohne Janus könnte ich das Geschenk vergessen. Schmirgeln, Schleifen und in Form bringen ist meine Sache, aber Janus sägt und verschraubt die Bretter, und das Regal wird genauso einzigartig und stabil, wie ich es mir vorgestellt habe.*

*Ma wird lächeln, wenn sie es sieht, und wird das Regal sofort einräumen und dreimal umstellen, bis es genau dort steht, wo es am besten zur Geltung kommt. Sie wird sagen, dass nur ich auf so ein wunderbares Geschenk hätte kommen können, und oben, wo ich ein großes Astloch weich geschmirgelt habe, wird sie ihren Bleistift hineinstecken, mit dem sie die Stellen in den Büchern markiert, die ihr beim Lesen gefallen. Sie wird mich fragen, ob sie eines von meinen Fundstücken haben kann, um es mit ins Regal zu legen. Und sie wird Janus durchs Haar wuscheln, wenn sie ihn das nächste Mal sieht, weil sie genau weiß, dass er mir geholfen hat.*

# DIENSTAGVORMITTAG

Am nächsten Morgen ging ich wieder in die Schule. Ich wusste nicht, was ich sonst den ganzen Tag hätte machen sollen. Janus fand auch, dass es eine gute Idee war. Nicht nur, weil er selbst in die Schule musste.

»Je früher du aus der Deckung kommst, desto besser«, meinte er.

Wir mussten beide lachen. Ich und aus der Deckung kommen. Eher war es so, dass er mir dauernd Deckung gab. Aber das würde er diesmal kaum können. Ich war froh, dass er den Umweg machte und mich bei Tante Gerda abholte.

»Schöner Tag, oder?«, brummte Janus mit seiner noch rauen Morgenstimme, als Tante Gerda ihm die Tür öffnete, und ich fragte mich einmal mehr, warum Janus immer die unpassendsten Floskeln verwendete, wenn er Erwachsenen begegnete. Tante Gerda zog nur eine Augenbraue hoch.

Wir gingen nebeneinanderher. Ich setzte meine Schritte diesmal sorgfältig zwischen die Pfützen, die der nächtliche Regen hinterlassen hatte, Janus stapfte mittendurch. Seine riesigen Turnschuhe sahen dabei aus wie Ozeandampfer, die sich behäbig ihren Weg durchs Wasser bahnen.

»Hast du Angst?«, wollte er wissen.

»Wovor?«

»Na, vor der Schule. Vor den anderen. Keine Ahnung.«

»Ich weiß nicht.« Das war die Wahrheit.

Klar hatte ich mir überlegt, wie das sein würde in der Schule.

So ungefähr vor einem Jahr hatte unsere Klassenlehrerin Krebs bekommen. Als unser Mathelehrer Herr Müller uns mit sorgengefurchter Stirn und diesem typischen Ich-kann-auch-nichts-dafür-aber-solche-Dinge-passieren-nun-mal-im-Leben-Gesichtsausdruck den Grund für ihr Fehlen verkündete, war es so still im Klassenzimmer geworden wie sonst nie, und alle hatten irgendwohin geschaut, wo es absolut nichts zu sehen gab. Auch ich. So sind Menschen eben: Es ist peinlich, etwas Trauriges zu teilen, das einen selbst nicht allzu viel angeht.

Sicher war Herr Müller jetzt mit genau dem gleichen Gesichtsausdruck vor die Klasse getreten, und meine Mitschüler hatten die Nachricht vom Tod meiner Mutter mit diesem kollektiven schnellen Luftholen aufgenommen, das bei einem gemeinsamen Erschrecken zu hören ist, woraufhin alle vermutlich für eine Minute stumm und peinlich berührt gewesen waren. Und dann waren sie wieder zum üblichen Programm übergegangen, hatten sich über Frederiks Ohren lustig gemacht und Schimpfwörtertiraden auf unsere Biolehrerin Frau Hensel losgelassen, Oskar hatte Luis' Pausenbrot aus dem Fenster geworfen wie jeden Tag, und Lina war am Rande des Geschehens sitzen geblieben, mit majestätisch hoch erhobenem Kopf und völlig unberührt von all dem Kindergartenquatsch, der direkt neben ihr stattfand.

Ich erzählte Janus, was ich mir vorstellte.

»Bingo«, bestätigte er. Aber er lachte nicht wie sonst, wenn er fand, dass meine Schilderungen ins Schwarze trafen.

»Immerhin warst du das erste Mal in der Pause Gesprächsthema Nummer eins«, meinte er dann.

»Und, was sagen die anderen?«, fragte ich. Irgendwie interessierte mich das.

»Krasse Geschichte, finden alle«, sagte Janus nur. Er war einfach kein besonders genauer Beobachter.

Als wir das Klassenzimmer betraten, gab es diesen obligatorischen Sekundenbruchteil, in dem mich alle ansahen, bevor sie betont schnell wegschauten. Und als ich mich hinsetzte, spürte ich, wie lauter Augenwinkel-Blicke verstohlen zu mir zurückkehrten, weil alle natürlich herausfinden wollten, ob ich verheult aussah, blass, traurig, zerschmettert. Nur Lina sah mich direkt an. Ihr Blick traf mich voll ins Gesicht, er war fest, unausweichlich und neugierig und fühlte sich ein bisschen an wie ein Scheinwerfer, der mich blendete. Vor allem, weil es Linas Blick war.

Lina ist schön. Nicht so, dass man sie auch süß oder lässig hätte nennen können, sondern wirklich und unantastbar schön. Sie ist hell wie diese Lichtgestalt aus *Herr der Ringe*. Damit meine ich, dass alles an ihr hell ist, was hell sein kann: die Haut, die Haare, die Augen, sogar ihre Wimpern und Augenbrauen sind so hell, dass man sie eigentlich nur aus der Nähe sehen kann, und sie schminkt sie nicht wie die meisten anderen Mädchen aus unserer Klasse. Sie bürstet auch niemals im Unterricht ihre Haare wie alle anderen Mädchen. Die Gleichgültigkeit, die Lina ihrem Äußeren entgegenbringt, macht sie natürlich noch schöner, als sie sowieso schon ist. Vielleicht war das aber gleichzeitig auch schon immer der Grund dafür, dass Lina irgendwie nie so ganz dazugehörte, seit sie vor einem Jahr in unsere Klasse gekommen war, obwohl bestimmt die Hälfte der Jungen in der Klasse sich in sie verliebt hatte. Dabei wusste eigentlich keiner viel über sie, und ich glaube, sie interessierte sich auch nicht für uns. Vermutlich hatte sie andere Freunde, weniger alberne oder verklemmte als uns.

Jetzt jedenfalls sah sie mir als Einzige in die Augen, und ich gebe zu, dass ich dabei Herzklopfen bekam. Ich schaute zurück, und sie hielt für einen leicht verlängerten Moment meinen Blick fest, wie ein Drahtseil, das zwischen uns gespannt wurde. Vielleicht wurde ich rot, keine Ahnung. Und dann war der Augenblick vorbei und der übliche Rummel ging wieder los und dauerte bis eine Minute nach Herrn Müllers Ankunft.

Herr Müller begrüßte mich mit einem kleinen Nicken, das einen tiefen Blick in mein Gesicht verbergen sollte, denn natürlich sind auch Lehrer neugierig. Aber es ist ein ungeschriebenes Gesetz, dass die Menschen nie diejenigen, denen etwas Schlimmes passiert ist, direkt danach fragen, sondern immer jemand Dritten, Unbeteiligten. Das ist auch der Grund, warum keiner wirklich weiß, wie er sich gegenüber demjenigen, dem das Schlimme passiert ist, verhalten soll. Weil er ja mit dem Beteiligten nicht spricht. Und wenn, dann nur über das Wetter, Architektur, das Bruttoinlandsprodukt von Indien. Oder über Quadratwurzeln.

Lina sprach mich in der Pause an, gleich nach dem Klingeln.

»Jetzt kannst du dich mal richtig gehen lassen«, sagte sie mit leicht spöttischem Unterton, als ich an ihrem Tisch vorbeiging.

»Was?« Dass sie mich ausgerechnet jetzt ansprach, als alle anderen das vermieden, irritierte mich genauso wie ihr Blick, denn genau wie vorher schaute Lina mir direkt in die Augen.

»Na, im Unterricht. Probier's aus. Keiner wird dich dran hindern, Zettelchen zu schreiben oder gepflegte Gespräche zu führen. Du bist im Schonmodus.«

»Kennst du dich damit etwa aus?«, zischte Janus an meiner Stelle und zog mich weiter. Er war mal wieder ganz darauf eingestellt, mich zu beschützen, wovor auch immer. »Jetzt bist du schon so berühmt, dass die Eisprinzessin sich herablässt, dich blöd anzuquatschen!« Er glaubte offenbar nicht, dass ich Schonung benötigte. »Als ob sie neidisch sein müsste«, fügte er hinzu. »Sie hat jedenfalls bestimmt noch nie ein Zettelchen geschrieben.«

In der nächsten Stunde hatten wir Deutsch. Ich hatte nichts verpasst, es ging immer noch um Lyrik. *Regenwörter.* Ich mag Rose Ausländers Gedichte, sie sind knapp und klar. Die meisten meiner Klassenkameraden waren anderer Ansicht.

»Wer liest?«, fragte Frau Mai. »Ja, Lina.«

Aber Lina las nicht. »Finden Sie nicht, dass wir doch mal kurz darüber sprechen sollten, dass Bens Mutter tot ist?«, fragte Lina. Ihr Ton war sachlich, sodass man nicht genau sagen konnte, ob das eine Kampfansage war oder doch nur eine einfache Frage.

Frau Mai starrte sie an, zwischen ihren Augenbrauen entstand eine kleine Längsfalte. Ihr linkes Augenlid zuckte.

»Findet das vielleicht sonst jemand hier?«, fragte Lina weiter. Sie drehte ihren Kopf und schaute sich in der Klasse um. Sie nahm sich Zeit dafür und für fünf Sekunden war es totenstill. Dann entfuhr Janus neben mir ein »Oh Mann!«.

Und ich? Ich wollte, dass jemand fragte. Ich wollte, dass sie mich alle fragten. Nein, ich wollte in Ruhe gelassen werden. Ich wusste nicht, was ich wollte. Am liebsten wollte ich, dass alles wieder so war wie immer, wenigstens hier. Zu Hause saß mein Vater auf dem Fußboden und heulte, während Billie Holiday sich die Seele aus dem Leib sang.

Ich sah weder Lina noch Frau Mai an, sondern betrachtete meine Tischplatte, als sei sie das Interessanteste auf der Welt. In meiner linken Hosentasche krallten meine Finger sich um den kugelrunden Kiesel und einen Würfel.

»Okay«, sagte Lina, »ich lese. *Regenwörter überfluten mich.*«

Ausgerechnet auf dem Schulklo begegnete mir Ma dann zum zweiten Mal. Sie lehnte direkt vor mir an der Tür der Kabine, zwischen dem Statement *Christine, ich liebe dich* und einem überdimensionalen giftgrünen Penis. Diesmal sprach sie mit mir.

»Hey, Ben.«

Ich fuhr zusammen und knöpfte meine Hose wieder zu.

»Lina interessiert sich für dich, glaube ich«, sagte Ma. Sie grinste. Typisch, dass sie es nicht einmal, wenn sie tot war, lassen konnte, mich mit solchen Sachen zu nerven, statt mir zu erklären, was mit ihr passiert war.

»Ma, echt!« Ich glaube, ich sagte es nur in meinem Kopf, aber sicher bin ich mir nicht.

»Sei doch nicht immer so verschlossen«, sagte sie.

Die ganze Situation war absurd. Ich wollte Ma sagen, dass ich darauf verzichten konnte, dass sich Leute plötzlich für mich interessierten, weil sie gestorben war. Und dass ich genauso gut darauf verzichten konnte, dass sie mich sogar auf dem Klo heimsuchte, und das auch noch zwischen zwei Schulstunden, in denen ich mich damit abmühte, zu ignorieren, dass alle anderen krampfhaft versuchten, sich mir gegenüber normal zu verhalten. Aber als ich kurz blinzelte, war sie schon wieder verschwunden.

Nach der letzten Stunde verließ ich das Klassenzimmer so eilig, dass Janus mit dem Zusammenpacken kaum hinterherkam. Ich wollte keine Sekunde länger in der Schule verbringen als nötig. Ich hatte auch keine Lust darauf, noch einmal von Lina angesprochen zu werden. Es war offensichtlich, dass sie sich auf irgendeine merkwürdige Weise für das interessierte, was bei mir passiert war.

»Mann, jetzt warte doch mal!«, rief Janus. »Ich beschütze dich doch vor der Eisprinzessin.« Manchmal denke ich, dass wir uns schon so lange kennen, dass Janus meine Gedanken lesen kann. »So schlimm war's doch heute gar nicht«, fügte er hinzu und rannte neben mir her. Natürlich konnte er problemlos Schritt halten. Janus ist mindestens einen Kopf größer als ich. Der Statur nach hätte er Pas Sohn sein müssen.

Ich blieb vor dem Schulhof stehen.

»Und jetzt?«, fragte er.

»Ich glaube, ich gehe direkt zu meiner Tante.«

»Lass uns vorher noch ein Eis essen!«, schlug Janus vor. Es war völlig durchschaubar, dass er mich ablenken wollte. Eigentlich hatte ich nichts dagegen.

Die Eisdiele ist im Sommer immer überfüllt, denn das Eis von Herrn Bertuzzoni schmeckt genauso klischeehaft lecker, wie sein Name italienisch klingt. Jetzt im Oktober war die Eisdiele leer. Irgendwie scheinen die Leute das Eisessen zu vergessen, sobald das Thermometer unter fünfzehn Grad Celsius fällt.

Herr Bertuzzoni kennt jeden seiner Kunden – er hat ein phänomenales Gedächtnis für Lieblingseissorten, und wenn man seinen Geschmack ändert, muss man ziemlich schnell reagieren, denn sobald man dran ist, hat er den Eisschöpflöffel, oder wie man dieses Gerät nennt, auch schon ins richtige Eis getaucht. Deshalb hielt Janus sofort eine Waffel mit zwei Kugeln Schokoeis in der Hand, und deshalb schwebte dieses Schöpfgerät nun auch schon dicht über dem Behältnis mit dem Zitroneneis, denn das ist meine Lieblingssorte.

»Halt!«, rief ich schnell. Ich wollte heute eine Kugel Haselnusseis.

Herr Bertuzzoni zog seine rechte Augenbraue hoch.

»Wie geht es deiner schönen Mama?«, fragte er. Er zog dabei das zweite *a* in Mama lang und lachte mir breit ins Gesicht. Und da war es wieder, dieses komische Mitteilungsbedürfnis. In der Schule hatte es mich verlassen, jetzt war es zurück.

»Meine Mutter ist vorgestern gestorben.« Ich betonte jede Silbe und beobachtete, wie Herrn Bertuzzonis rechte Augenbraue hängen blieb, wo sie war. Die linke folgte ihr nach oben, sodass sich die Stirn darüber in drei genau parallele Falten zog. Aus weit aufgerissenen Augen sah er mich an. Er glaubte mir sofort.

»Was? Ein Unfall?«, wollte er wissen.

»Herzanfall«, sagte ich knapp, denn ich wollte keine weiteren Fragen beantworten, wollte nur sehen, wie den anderen Leuten der Schock ins Gesicht fuhr.

»Eine Katastrophe«, würgte er schließlich hervor. Und danach, leise: »Es tut mir leid.«

Dann überreichte er mir eine völlig überdimensionierte Kugel Haselnusseis, und als ich bezahlen wollte, winkte er ab. Lina hatte recht: Schock und Mitleid führten dazu, dass ich überall eine Sonderbehandlung bekam.

Als ich mich umdrehte und die Zunge ins Eis tauchte, starrte Herr Bertuzzoni mir hinterher. Haselnusseis war Mas Lieblingssorte.

»Wird das jetzt so weitergehen, dass du dauernd fremde Leute mit der Geschichte schockst?«, fragte Janus.

»Wieso dauernd?«

»Na ja, gestern das Mädchen an der Bushaltestelle und jetzt

der Bertuzzoni … das war ja so was wie ein Tritt in die Eier«, sagte Janus trocken. »Vielleicht hat die Eisprinzessin recht.«

»Womit denn?«

»Vielleicht musst du darüber reden, um das Ganze zu verarbeiten. Aber richtig reden, und zwar mit Leuten, die dir helfen können.«

Ich dachte an Frau Meggler mit ihren runden Augen, ihrer dämlichen Frisur und ihrem Herumgestottere, unwillkürlich ballte sich meine linke Faust in der Hosentasche.

»Also mit Frau Mai und mit Lina und mit dir, oder? Weil du dich perfekt damit auskennst, wie das ist, wenn deine Mutter plötzlich tot auf dem Boden liegt und Ärzte und Polizisten drum herum springen und dein Vater in der Wohnung sitzt und nicht mal einen normalen Satz sagen kann? Geh lieber Skateboard fahren, Janus, davon hast du wenigstens eine Ahnung!«

Ich war gemein und es hätte mir leidtun müssen. Vor allem, weil Janus recht hatte. Meine Mutter würde auch nicht wieder lebendig, wenn ich den Rest meines Lebens damit verbrachte, nette Leute aus dem Small-Talk-Modus zu katapultieren. Aber plötzlich war ich sauer und müde und wollte einfach nur allein sein.

»Okay, Ben«, sagte Janus nur. »Komm erst mal runter, ja?«

Und dann drehte er sich um. Im Weggehen warf er sein halb aufgegessenes Eis in hohem Bogen ins Gebüsch.

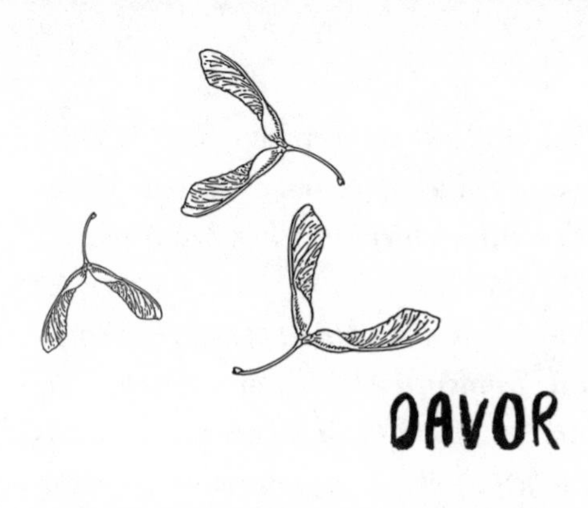

# DAVOR

*Ich liege auf dem Bauch und atme ins Gras. Ins Moos, besser gesagt. Ich versuche, so flach zu atmen, dass Krümel mich nicht hört, denn weit bin ich nicht gekommen, seit er begonnen hat zu zählen. Krümel kann genau bis 45 zählen. So alt ist Ma, letzte Woche hatte sie Geburtstag. Ich muss mich also sehr schnell verstecken, wenn das ein ernst zu nehmendes Versteckspiel werden soll, und im Wald ist das gar nicht so einfach. Immerhin habe ich einen umgefallenen Baum erreicht, hinter dessen glitschiger Barrikade ich mich verberge, was aber nur möglich ist, weil ich mich bäuchlings auf den Waldboden gedrückt habe.*

*Vor mir breitet sich etwas aus, das aus dieser Perspektive aussieht wie ein Zauberwald. Hätte ich die Größe einer Ameise, wäre das Moos für mich wie schwere, nasse Bäume mit bizarren, pelzigen Formen, oben spitzig wie Tannen. Manche von diesen Baummonstern in Miniaturformat sind an einer Seite gelblich, wie ausgeblichen. Moos scheint sensibel auf Licht zu reagieren. Aus dem Mooswald ragen außerdem mehrere leuchtend orange Pilze mit hauchfeinen Stielen heraus wie aufgespießte Hüte.*

*Weil ich das Versteckspiel genauso ernst nehme wie mein kleiner Bruder, schiele ich nicht hinter dem Baumstamm hervor, um dann womöglich von ihm entdeckt zu werden, sondern kann Krümel nur anhand der knackenden Äste und des leisen »Wo-isser«-Gemurmels orten. Er wird noch ein bisschen brauchen, bis er mich findet.*

*Ich erschrecke zu Tode, als mich etwas am Kopf trifft. Es kommt von der anderen Seite. Ein Tannenzapfen. Jemand kriecht ganz nah neben mich. Ma. Ihre Schulter drängt meine zur Seite; als ich mich umdrehe, schaue ich direkt in ihr grinsendes Gesicht. Ich schaue sie übertrieben böse an, sie zieht Schultern und Augenbrauen hoch.*

*Es stimmt ja, sie war vorsichtig genug, sodass Krümel uns noch nicht entdeckt hat. Offenbar ist ihre schlechte Laune vom Vormittag verflogen, und sie hatte plötzlich Lust, Verstecken zu spielen. Typisch Ma. Jetzt schaut sie mich mit ihren grünen Ma-Augen weiter an, und ich hoffe, dass sie das hier jetzt nicht mit ihrer Ungeduld verdirbt und Krümel mit einem »Piep!« die Suche erleichtert. Dann habe ich mir umsonst nasse Knie geholt. Aber sie guckt mich nur weiter an.*

*»Weißt du eigentlich, dass du der beste große Bruder der Welt bist?«, flüstert sie plötzlich.*

*Ich lege einen Finger an meine Lippen und sie verdreht die Augen, dann lächelt sie. Als sie sich eine Haarsträhne aus dem Gesicht streicht, fällt mir auf, dass sie ihre Glasarmreifen in ihren Ärmel geschoben hat, damit ihr Geklirre uns nicht verrät.*

# DIENSTAGNACHMITTAG

Als ich, den ungewohnten Geschmack von Haselnusseis noch auf der Zunge und ein kleines schlechtes Gewissen wegen Janus im Hinterkopf, bei Tante Gerda ankam, war Krümel wieder weg.

»Ich weiß nicht, warum er das macht«, sagte Tante Gerda. Sie sah noch müder aus als am Vortag, so als würde ihr nun doch alles zu viel. Das hatte ich noch nie erlebt.

Würde Ma diese Geschichte erzählen oder Krümel, dann wäre es eine Geschichte über das Weggehen. Ist es aber nicht. Es ist eine Geschichte über das Dableiben. Denn ich bin es, der die Geschichte erzählt, und ich bin ein Dableiber.

Meine Eltern erzählten immer, dass ich ihnen als Kind kein einziges Mal weggelaufen bin, so wie alle anderen Kinder das aus Trotz oder Wut tun. Ich bin immer genau da geblieben, wo ich gerade war, berechenbar und unkompliziert.

Krümel aber ist ein Wegläufer. Im Urlaub verliert man ihn regelmäßig, weil er irgendetwas entdeckt hat und dann so schnell in die falsche Richtung läuft, dass der Satz »Der kleine Karl sucht seine Eltern« in den letzten Jahren zum

Ohrwurm geworden ist. Es gibt immer unzählige neugierige und gehässige Blicke von anderen Leuten, die der Meinung sind, Krümels Eltern könnten nicht auf ihr Kind aufpassen. Vor allem aber gibt es endlose Diskussionen zwischen Ma und Krümel und Pa darüber, wie man solche Situationen in Zukunft vermeiden kann. Aber ich glaube, sie sind überhaupt nicht zu vermeiden, denn Krümel merkt ja nicht einmal, dass er wegläuft. Er läuft nicht weg, sondern zu etwas hin, und zwar dorthin, wo er unbedingt hinmuss.

»Er macht das nicht, um dich zu ärgern«, versicherte ich Tante Gerda.

»Ich war nur kurz auf dem Klo, schon war er wieder weg.«

»Ich geh ihn suchen.«

»Ben?« Tante Gerda nahm meine Hand. Ihre war glatt und kühl. »Ich mach mir Sorgen.«

»Musst du nicht. Ich finde ihn.« Ich lächelte meine Tante an.

»Nein, nicht um Krümel. Um dich.«

»Um mich?«

»Ja, um dich. Du bist so gefasst und still und kümmerst dich um alles. Aber du musst ja auch irgendwie damit klarkommen.« Tante Gerda sah mich an. Ihre Augen leuchteten gegen die dunklen Schatten darunter besonders grün, und zum allerersten Mal fiel mir auf, dass ihre Augenfarbe der von Ma ähnelte. Und damit auch meiner.

»Alles okay«, murmelte ich. »Ich komm schon klar.«

Krümel war weder auf dem Spielplatz noch bei seinem Mausoleum. Ich fand ihn nicht in der Nähe des Kindergartens und nicht im Kräutergarten hinter dem Rathaus, wo er so gerne mit Ma hinging. Sie ließ ihn mit verbundenen Augen die Kräuter an ihrem Geruch erraten. Also joggte ich zum Geheimen Stein.

Den Geheimen Stein haben Krümel und ich erst vor zwei Jahren an einem unserer Waldsonntage beim Versteckspielen entdeckt. Ich hatte ihn noch nie zuvor gesehen, ein riesengroßer Findling, nur wenige Hundert Meter hinter dem Waldweg. Es war, als hätte er sich auch versteckt. Die meisten Steine, die eine solche Größe und auch noch so eine besondere Form haben, werden von einem Schild begleitet. Touristen stehen um ihn herum und stellen sich uralte heidnische Opferrituale vor. Hier nicht.

Der Geheime Stein stand einfach da, als sei er nur für Krümel und mich aufgestellt worden, ein oben leicht ausgebeulter und unten leicht ausgehöhlter Hinkelstein mit olivgrüner Moosbehaarung und einer Art verkümmertem Arm an der einen Seite, der ihn beinahe lebendig aussehen ließ, so als würde er gleich anfangen zu sprechen. Ohne dass wir es vereinbart hätten, blieb der Stein unser Geheimnis, Krümels und meines, und jeder von uns hatte seine eigene Seite.

Der Stein grüßte mich schon von Weitem mit seinem Stummelarm. Krümel war nicht zu sehen. Ich setzte mich ausnahmsweise auf Krümels Seite auf den feuchten Waldboden und lehnte mich an. Ich musste beide Schultern in die Aushöhlung hineinzwängen, bevor ich wie mein kleiner

Bruder dasaß. Rechts von mir stand das Moos vom Stein ab wie eine grüne Igelfrisur. Links zog eine Schnirkelschnecke unendlich langsam eine vertikale glitzernde Spur hinter sich her, als sei sie ein geheimer Hinweis. Es war absolut still.

Dann knackten hinter dem Stein Zweige. Krümel kam aus der Deckung.

»Hi, Ben.«

»Was soll das werden, eine Schnitzeljagd?«

»Ich wusste schon, dass du kommst«, sagte Krümel fröhlich, ohne auf meinen vorwurfsvollen Unterton zu reagieren.

»Ich wollte nur Mama den Stein zeigen«, fuhr er fort.

Ich wusste nicht, was ich sagen sollte. Einerseits ärgerte ich mich über meinen kleinen Bruder, der rücksichtslos alles machte, was er für richtig hielt. Andererseits war das vielleicht richtiger als alles, was ich so machte. Und nicht machte. Immerhin hatte ich bisher weder ein Mausoleum für Ma gebaut, noch ihr nachträglich meine Lieblingsorte gezeigt.

»Und, ist sie da?«, fragte ich ironisch.

»Mhm.« Krümel deutete auf die Rückseite des Steins. Meine Seite.

Fast erwartete ich, meine Mutter tatsächlich zu sehen, als ich aufstand und langsam um den Stein herumging. Die Seite zum Wald hin war stärker bemoost als die Vorderseite, Hunderte kleiner Tröpfchen hingen als glitzernder, perlenbesetzter Mantel an der weichen Oberfläche. Ma war nicht da.

Ich stand ganz nah am Stein und lehnte mich mit der Stirn an ihn, drückte einige Dutzend Tröpfchen platt. Es roch nach Wald, nach Regen, nach dieser kurzen Zwischenjahreszeit zwischen Sommer und Herbst. Meine Schuhe sanken lautlos in den weichen Waldboden ein. Mit einem Mal fühlte ich mich ruhig und auf angenehme Weise leer, wie nach meiner Birkenumarmung. Als ich mich wieder aufrichtete, blieben kleine weiche Moosfetzen an meinem Gesicht kleben, meine Wimpern waren nass, als hätte ich geweint. Direkt auf meiner Augenhöhe war ein kleines Zeichen in den Stein geritzt, das ich noch nie bemerkt hatte. Ein winziger, schmaler Pfeil, der genau nach oben zeigte.

»Ist sie weg?«, fragte Krümel, als ich wieder auf seiner Seite des Steins auftauchte. »Sie mag den Stein.«

Als ich nicht antwortete, wurde er plötzlich unsicher. »Bist du sauer, dass ich ihn ihr gezeigt habe?« Ich schüttelte den Kopf.

Der Rückweg war mühselig. Zuerst balancierte Krümel konzentriert auf jedem Bordstein entlang, dann war er so müde, dass er kaum vom Fleck kam. Irgendwann nahm ich ihn huckepack, um wenigstens ein bisschen schneller voranzukommen. Er umschlang meinen Nacken mit seinen dünnen Armen, lehnte seinen Kopf an meine Schulter wie ein Affenjunges und schlief sofort ein. Sein Körper wurde auf meinem Rücken schlaff und schwer und sein Atem streifte warm und mit einem winzigen Rasseln mein linkes Ohr.

Die Straße am Wald besteht aus alten, hohen Backsteinhäusern mit großen Fenstern und einem Sims, der um jedes Haus läuft wie ein tiefer gerutschter Gürtel. Immer wieder lehnte ich mich an eine Hauswand und setzte Krümel kurz ab, ohne dass er aufwachte, erholte mich ein wenig. Dabei sah ich in die Fenster der gegenüberliegenden Häuser, in denen der Reihe nach die Lichter angingen: lauter halbe Menschen, Kopf bis Taille, sah ich, wie sie Tische deckten, Tee kochten, sich umzogen.

Und in einem der Fenster entdeckte ich Lina. Eine halbe Lina im himbeerroten Pullover in einem hell erleuchteten Wohnzimmer mit prunkvollem Kronleuchter und hohen Bücherregalen im Hintergrund. Lina tanzte.

Aber sie tanzte nicht alleine und es war kein besonders anmutiger Tanz. Sie bugsierte eine Frau durch den Raum. Die Frau hatte silbriges Haar und noch dünnere Arme als Krümel, und an der Krümmung ihres Rückens und der zittrigen Vorsicht, mit der sie sich bewegte, sah ich, dass sie uralt sein musste. Sie reichte Lina nur bis zur Schulter, sodass Lina sich tief zu ihr hinunterbeugen musste. Da das Fenster geschlossen war, konnte ich mir die Musik nur vorstellen, zu der die beiden tanzten: irgendetwas Langsames, aber mit einem zackigen Rhythmus, denn in regelmäßigen Abständen änderte Lina die Tanzrichtung und schleuderte ihren Kopf so unvermittelt von der einen zur anderen Seite, dass ihre Haare in die entgegengesetzte Richtung flogen. Sie lachte dabei und sah so wild und übermütig aus, wie ich sie noch nie gesehen hatte.

Einige Minuten stand ich an die kalte Wand gelehnt, Krümels warmen Atem in meinem Nacken, und starrte Lina an, und einmal sah Lina in meine Richtung. Aber drinnen war es hell und draußen fast dunkel, also konnte sie mich gar nicht sehen, und schließlich nahm ich Krümel wieder hoch und schleppte mich weiter.

Tante Gerda umarmte uns stumm, so wie wir vor ihrer Tür standen: als Bruder-Monster mit zwei Köpfen, einem wachen und einem schlafenden. Falls sie sauer auf Krümel war, weil er schon zum zweiten Mal abgehauen war, zeigte sie es nicht. Ich merkte plötzlich, dass ich den ganzen Tag nichts gegessen hatte, auch Krümel wachte zum Abendessen auf und wir aßen die Reste des Schokokuchens.

»Ich muss die Traueranzeige für die Zeitung fertig machen«, sagte Tante Gerda zu mir, während Krümel Sandmännchen ansehen durfte. »Möchtest du dir das anschauen?«

»Sollte das nicht Pa machen?«, fragte ich.

Tante Gerda seufzte. »Ich glaube nicht, dass er das schafft.«

Vor meinem inneren Auge sah ich wieder meinen Vater auf dem Boden sitzen. Gebeugt, gekrümmt, vernichtet. Heute hatte er es nicht einmal geschafft, uns anzurufen. Ich nickte.

»Fällt dir ein Text ein, der passen könnte?«

»Jazz«, sagte ich spontan. »Oder Rose Ausländer.«

»Kenne ich nicht«, sagte Tante Gerda.

Ich holte den kleinen Gedichtband aus meinem Rucksack. Das Lesezeichen steckte auf der Seite mit dem Gedicht, das Lina vorgelesen hatte, und ich musste an ihr Gesicht denken, als sie über den Tod meiner Mutter sprechen wollte. Und dann an ihr Gesicht beim Tanzen. Auch Lina hatte zwei Gesichter, genau wie meine Mutter.

Ich reichte das Buch an meine Tante weiter und sie las und

blätterte und las. »Das ist es«, sagte sie plötzlich leise. »Das passt so zu ihr.« Ich sah, wie Tante Gerdas innere Augenwinkel sich wie in Zeitlupe mit Tränen füllten, aber sie schluckte den Kloß im Hals herunter und las laut:

*Noch bist du da*

Wirf deine Angst
in die Luft

Bald
ist deine Zeit um
bald
wächst der Himmel
unter dem Gras
fallen deine Träume
ins Nirgends

Noch
duftet die Nelke
singt die Drossel
noch darfst du lieben
Worte verschenken
noch bist du da

Sei was du bist
Gib was du hast

»Nicht gerade ein typisches Todesanzeigengedicht, oder?«, fragte ich vorsichtig.

»Nein«, sagte meine Tante und sah mich aus ihren leicht geröteten Augen an. Ihre nassen Wimpern glitzerten. »Wohl eher ein Gedicht über das Leben.«

# DAVOR

*Eine Birke wird ungefähr 120 Jahre alt, eine Fichte bis zu 300. Eichen werden uralt, manche 1000 Jahre. Laubbäume wachsen schneller als Nadelbäume und sterben früher.*

*Die Jahresringe zeigen an, wie alt der Baum ist. Jedes Jahr ein Ring, so einfach ist das, jedenfalls hier in Europa, wegen der Jahreszeiten. Die Ringe sind verschieden breit und haben verschiedene Helligkeiten, je nachdem, ob es ein trockenes oder ein nasses Jahr war, wie viel Licht der Baum bekam. Um wirklich ganz exakt zu bestimmen, wie alt der Baum war, muss man ihn zuerst fällen, damit man in sein Inneres hineinschauen kann.*

*Ma ist ganz ernst geworden, als sie uns das erklärt, wie immer, wenn sie über den Wald spricht. Ich bin erstaunt, weil Krümel ihr heute richtig zuhört, zum ersten Mal. Vielleicht stört es mich deshalb gar nicht, dass Ma so vieles erklärt, was ich längst weiß.*

*»Und was ist mit den Bäumen im Regenwald?«, fragt Krümel.*

*»Die Regenwaldbäume haben auch Ringe. Die entstehen, wenn besonders viel Regen fällt und der Baum wachsen kann. In den anderen Zeiten steht der Baum sozusagen still«, antwortet Ma.*

*»Dann haben sie also keine Jahresringe?«*

*Ma und ich nicken genau synchron, und Ma grinst mich an, als sie es merkt.*

*»Dann haben sie also Regenzeitringe«, sagt Krümel zufrieden.*

*Ein Apfelbaum wird im Durchschnitt 80 Jahre alt, ziemlich genauso alt wie Menschen in Deutschland im Jahr 2018. Menschen haben keine Jahresringe, die ihr Alter anzeigen, nur Falten, krumme Rücken oder graues Haar. Manche sehen älter aus, als sie sind, mache jünger. Manche sterben genau mit 80 Jahren, manche mit 98 und manche mit 45. Manche leiden lange, bevor sie sterben. Manche sterben schnell und geräuschlos.*

# MITTWOCHVORMITTAG

Statt in die Schule ging ich am nächsten Morgen auf den Friedhof. Wir mussten die Stelle für Mas Grab aussuchen, und Tante Gerda wollte, dass wir mitbestimmen. Vielleicht wollte sie die Entscheidung auch nur nicht Pa überlassen, der nicht einmal imstande war, den Text für die Traueranzeige zu verfassen.

Der Friedhof lag auf einem kleinen Hügel, ganz in der Mitte gab es eine kleine Kapelle, in der jetzt meine Mutter gut verschlossen aufbewahrt wurde. Vor der Kapelle stand eine Bank. Und darauf saß Pa. Ich sah ihn schon von Weitem, er saß ungefähr in der Haltung, in der er zu Hause auf dem Boden gesessen hatte, nur etwas weniger gebeugt und ohne Zigarette. Ich hob die Hand, um ihm zu winken, aber er sah uns gar nicht. Unter meinen Füßen knirschte der sauber gerechte Kiesweg. Über mir raschelte es im Geäst.

»Ein Eichhörnchen!«, rief Krümel.

Ich sah gerade noch einen buschigen Schwanz im rotbraunen Ästegewirr verschwinden. Die kalte Luft roch nach dem feuchten Laub der Lindenbäume. Pa hatte den Kopf gehoben und lächelte uns matt zu. Seine Augen waren ganz woanders.

Ein junger Mann im grauen Anzug und mit Aktenkoffer in derselben Farbe kam in schnellem Schritt aus der anderen Richtung, Kies spritzte von seinen Schuhen auf. Ich konnte die fremden Menschen, mit denen ich seit zwei Tagen plötzlich zu tun hatte, langsam nicht mehr zählen. Der Mann blieb direkt vor Pa stehen.

»Sie kommen wegen der Grabstelle?«, sagte er knapp, ohne sich vorzustellen. Er musste der Chef von Seggler und Koch sein.

»Ja«, sagte Pa.

»Nett, dass Sie hierherkommen konnten«, fügte Tante Gerda hinzu. Ich fand, dass das Wort *nett* zu diesem Mann nicht besonders gut passte, der sich hinter seinem Bestatterschreibtisch wahrscheinlich wohler fühlte.

»Wir wollten gerne selber mal schauen, wo meine Schwägerin liegen soll«, sagte Tante Gerda beinahe entschuldigend, wie um den Mann freundlicher zu stimmen.

»Sie können sich nachher eine Stelle aussuchen, sie werden ja selbst sehen, wo noch Platz ist.« Der Mann blieb unfreundlich, sein Rücken war so gerade, als hätte er ein Lineal verschluckt.

Ich sah mich um: Die Gräber lagen eng nebeneinander aufgereiht. »Hier wird kein Zentimeter verschenkt!«, hätte Ma gespottet.

»Aber vielleicht klären wir erst noch schnell die Formalitäten«, fuhr der Mann hastig fort und holte eine dünne schwarze Mappe aus seiner Aktentasche.

»Formalitäten?«, wiederholte Pa.

»Ja«, sagte der Mann und räusperte sich, wobei er komisch mit dem Kopf ruckelte, als hätte er einen echten Frosch im Hals. »Das Grab also. Hoch oder Tief, Erde oder Feuer, Stein oder Holz, mit oder ohne Name?«

»Ohne Name?!«, sagte Tante Gerda, jetzt doch ein wenig ungehalten.

Der Bestatter erwiderte ungerührt ihren Blick, schaute dann fragend zu Pa. Pa blickte links an ihm vorbei. Der Mann sah über seine Schulter irritiert in dieselbe Richtung, konnte dort aber nichts Außergewöhnliches entdecken.

»Ich mache das«, erklärte Tante Gerda seufzend.

Der Mann setzte sich sehr aufrecht auf die Bank und breitete säuberlich seine Unterlagen auf seinem Schoß aus. Pa war im selben Moment aufgestanden. Er zog aus einem großen offenen Holzeimer mit der Aufschrift KOMPOSTIERBARES MATERIAL eine rote Rose heraus und drehte sie gedankenverloren zwischen seinen Fingern. Dabei lösten sich die halb verwelkten Blütenblätter vom Stängel und fielen auf den Boden, wo sie sich gegen den weißen Kies abhoben wie frisches Blut.

Weiter hinten balancierte Krümel auf einer steinernen Grabumrandung herum. Ich lief hinüber und zog ihn an der Kapuze herunter.

»He!«, sagte er.

»Das ist ein Friedhof, Krümel. Du kannst nicht einfach auf einem Grab herumbalancieren!«

»Warum denn nicht?«

»Das macht man einfach nicht.«

Auf dem Grab stand das goldgerahmte Foto einer Frau. Sie sah uralt aus, und jemand hatte ein paar quietschgelbe Plastiknelken so hinter den Bilderrahmen geklemmt, dass es aussah, als wüchsen sie aus ihrem Ohr.

»Wenn Ma ein Grab hat, dann darf ich da balancieren!«, sagte Krümel trotzig, und ich dachte, dass Ma wahrscheinlich selbst darauf herumbalancieren würde, wenn sie könnte. Ich ließ Krümel stehen und sah mich auf dem Friedhof um.

Im vorderen Teil war alles sehr gepflegt. Die Wege waren gerade und sauber, die Gräber lagen exakt parallel nebeneinander, und dazwischen war das Gras gestutzt wie ein frisch rasierter Dreitagebart, die Blumen in Streifen angepflanzt, blau, gelb, rot und wieder blau – blühende Soldaten beim Appell. Aber im hinteren Teil war der Friedhof verwildert, das Gras stand beinahe kniehoch und fraß sich unaufhaltsam in den Kiesweg hinein. Dieser Teil des Friedhofs war offensichtlich nicht so gefragt. Es gab nur wenige Gräber, die alle aussahen, als hätten sie schon lange keinen Besuch mehr bekommen. Balanciergräber. Vertrocknete Birkenkätzchen lagen darauf wie kleine vertrocknete Raupen. Es gab schiefe, hohe Grabsteine mit verwitterten Buchstaben und Moos, wie auf dem Geheimen Stein. Sogar die Friedhofsmauer stand hier hinten leicht schräg, weil sie in den Boden eingesunken war, und sah aus, als hätte sie Zahnlücken, denn oben fehlten Mauersteine.

Ma lehnte an einer Birke. Ihr weißes Kleid hob sich kaum von der hellen Rinde ab, ihre Haare umso mehr. Sie war barfuß und lächelte ein wenig schräg, wie eine Baumnymphe, die sich soeben aus den Ästen herabgeschwungen hatte, und winkte mir leicht mit der Hand zu, dann deutete sie neben die Birke. »Hier!«, formten ihre Lippen.

»Hier!«, rief ich laut. Langsam gewöhnte ich mich an Mas Erscheinen. Tante Gerda und Krümel entdeckten mich und staksten durch das hohe Gras herüber, Pa trottete hinterher, den Rosenstängel ohne Blütenblätter immer noch in der Hand. Ich zeigte auf den Platz neben der Birke. Ma war verschwunden.

»Hier!«, wiederholte ich.

Tante Gerda betrachtete die Stelle. »Bisschen abseits, oder?«

»Guck mal«, sagte Krümel und zeigte auf die Mauer. Eine Maus huschte ins Dunkel zwischen den Steinen hinein. Über uns in der Birke fing plötzlich eine Amsel an, ihr Lied zu singen. Es klang wie eine Aufforderung.

»Ja, das ist gut hier«, sagte Pa auf einmal.

Ich hatte eigentlich gar nicht damit gerechnet, dass er überhaupt etwas sagen würde. Vielleicht hatte er Ma auch gesehen. Er legte den Rosenstängel vorsichtig am Stamm der Birke ab wie etwas sehr Kostbares, dann hob er den Kopf und lächelte mich an.

Über uns wackelten die Äste der Birke. Das Eichhörnchen landete direkt vor uns. Für eine Sekunde sah es mich mit seinen kugelrunden pechschwarzen Knopfaugen an, dann jagte es den nächstbesten Stamm hinauf.

Der Tod ist wie ein Flügelschlag, hatte Ma einmal gesagt. Sie liebte solche Sprüche. Wie der Flügelschlag von einem großen schwarzen Vogel, der vorbeifliegt, und sein Schatten fällt kurz auf den, der zufällig darunter sitzt, und etwas länger auf diejenigen, die vielleicht gerade drum herum sind. Als hätte sie es geahnt, oder?

Ich weiß noch genau, wann sie das sagte. Es war im Sommer vor zwei Jahren, in Dänemark. Pa und Krümel waren in diese Kirche hineingegangen, denn es war so eine runde weiße, mit unvorstellbar dicken Mauern wie bei einer Ritterburg, und Krümel vermutete Ritter darin. Drum herum war ein kleiner Friedhof und wieder drum herum eine niedrige weiße Mauer, und auf dieser saßen Ma und ich und studierten die Daten auf den Grabsteinen und fragten uns, wem der Flügelschlag das Leben verdüstert hatte.

An dieses Gespräch mit Ma erinnerte ich mich, als ich jetzt mit Krümel auf der Friedhofsmauer saß, während Tante Gerda und Pa dem Mann mit der Aktentasche klarmachten, dass wir tatsächlich den am meisten vernachlässigten Winkel des Friedhofs als Grabstelle ausgesucht hatten.

Dort, wo wir saßen, war die Mauer von allen Seiten mit Efeu bewachsen, sodass wir wie auf einem dicken grünen Kissen thronten. Krümel kaute auf einem Grashalm.

»Hast du Ma heute schon gesehen?«, fragte ich Krümel vorsichtig.

»Nee. Du?« Offenbar fand er es selbstverständlich, dass ich sie auch sah.

»Nein«, log ich. Aus irgendeinem Grund wollte ich es ihm nicht sagen. Vielleicht dachte ich, es würde wohl irgendwann aufhören. Dann wäre es viel schwerer, wenn Krümel es auch wüsste. Schwerer für ihn. Schwerer für mich.

Ein schillernder Rosenkäfer krabbelte über meine Hand auf meinen Schoß und fiel auf der anderen Seite herunter. Er blieb auf dem Rücken liegen und zappelte mit den Beinen in der Luft. Ich wunderte mich darüber, dass ein Wesen, das sich nicht einmal alleine vom Rücken auf den Bauch drehen konnte, überhaupt überlebte, während ein Mensch einfach so starb, von einer Sekunde zur nächsten. Die dünnen Käferbeine sahen aus wie Wimpern. Ich zupfte ein Blatt aus dem Efeukissen und hielt es dem Käfer hin, er klammerte sich sofort mit allen Beinen daran und krabbelte kopfüber los.

Wäre mein Bruder älter gewesen, dann hätte ich jetzt mit ihm reden können, über das Leben und den Tod und alles, was dazwischen liegt und was womöglich danach kommt, über Käfer und Menschen und vielleicht auch darüber, ob es gut oder schlecht war, Ma zu sehen, obwohl sie tot war. Aber dafür war er acht Jahre zu jung, oder ich acht Jahre zu alt.

Ich sah nach oben, in den Himmel, der heute wieder ganz blau war. Nur ein paar vereinzelte Wolken waren zu sehen, weichrunde Wolken, wie Krümel sie auf jedes seiner Bilder malt.

*Meine Mutter ist tot,* übte ich im Kopf zu sagen, weil mir auf einmal eingefallen war, dass dieser Satz ab jetzt zu mir gehören würde wie meine Haarfarbe. *Meine Mutter ist gestorben, als ich vierzehn war.* Ich spielte mehrere Varianten durch, probierte, welcher Wortlaut am besten passte. *Ich bin Halbwaise. Ich habe keine Mutter mehr. Meine Mutter ist im Himmel.*

In diesem Augenblick schwebte eine Feder von oben herunter und landete direkt in Krümels Schoß. Sie war klein und weiß und so flaumig wie die Wolken über uns und Krümel schloss sie vorsichtig mit beiden Händen ein.

»Jetzt ist sie oben angekommen«, sagte er zufrieden.

# JETZT

*Ich kann mich nicht erinnern, dass ich jemals auf die Kastanie vor unserem Haus geklettert wäre. Krümel schon, der kletterte schon früh auf den unteren Ästen herum, und während Pa fragte, ob das wirklich sein muss, stand Ma daneben und sah seelenruhig dabei zu, wie Krümel sich mal mit seinem Turnschuh im Geäst verfing, mal den Kopf am nächsthöheren Ast anstieß. Sie kommentierte, ob er den Fuß besonders geschickt gesetzt hatte oder ob er sich blöd anstellte. Manchmal kletterte sie mit. Aber ich, ich bin nie mitgeklettert, und das hat einen Grund: Ich habe Höhenangst. Ich fange an zu zittern, wenn ich keinen festen Boden unter den Füßen spüre. Mir wird heiß, wenn ich ein Klettergerüst nur ansehe. Das ist nicht schlimm, denn ich bin der, der die Räuberleiter macht, wenn mein Bruder nicht an den untersten Ast herankommt. Der, der unten steht und die Kastanien auffängt. Damit war ich immer zufrieden.*

*Ich weiß nicht so genau, warum ich jetzt hier stehe, vor der Kastanie. Warum ich mich selbst beruhige, indem ich mir vorsage, auf welche Bäume man klettern darf und auf welche nicht, weil die Äste immer drohen abzubrechen, obwohl sie nicht abgestorben aussehen: Buche: ja, Ahorn: ja, Eiche: nein, Kastanie:*

*ja. Das war Mas Mantra für Krümel, den Bäumekletterer. Ich schaue mich um, ob niemand kommt, nehme ein Schneckenhaus aus der linken Hosentasche und stecke es in die rechte. Dann reibe ich meine Hände an der Jeans ab, bevor ich Anlauf nehme und zum untersten Ast hochspringe.*

*Mit beiden Füßen hake ich mich am Stamm fest und ziehe mich auf den Ast hoch. Dann sehe ich nach unten und mir wird ein bisschen schwindelig. Also sehe ich lieber nach oben. Zwei Äste weiter hoch, dann kann ich in unsere Wohnung schauen. Aber das schaffe ich nicht, in meinem Kopf dreht sich jetzt schon alles karussellartig. Und deshalb schaue ich in die Wohnung unter uns, wo Herr und Frau Günze wohnen. Beide sind uralt und bewegen sich so langsam wie zwei Schildkröten bei kalten Temperaturen. Ich sehe, wie Frau Günze Herrn Günze einen Kaffee reicht und wie Herr Günze die Kaffeetasse zu einem Tischchen mit weißer Spitzentischdecke hinüberbalanciert, alles in Zeitlupe. Und ich frage mich, warum nicht Herr Günze gestorben ist, der schon steinalt war, als ich klein war. Warum ist nicht das Herz von Frau Günze stehen geblieben?*

*Und als ich das denke und logischerweise keine Antwort darauf habe, hört der Schwindel auf, und ich lehne mich an den Stamm, bis mich plötzlich eine Kastanie von oben am Kopf trifft, so hart, als hätte sie jemand absichtlich auf mich geworfen. Und plötzlich weiß ich genau, welche Antwort Ma mir geben würde.*

*»Weil die viel weniger Energie verbraucht haben als ich«, höre ich ihre Stimme leicht gehässig sagen, »schau doch hin!« Aber ich schaue nicht mehr hin, weil ich jetzt wegen der kleinen harten*

*Kastanie das Gleichgewicht verliere und abrutsche und mich nicht richtig abfangen kann.*

*Mit hartem Aufprall lande ich unter dem Baum. Ein Schmerz sticht mich ins linke Knie, das als Erstes unten ankommt, die Fundstücke in der linken Hosentasche bohren sich in meinen Oberschenkel, und ich liege verkrümmt auf dem Boden und muss plötzlich über mich selber lachen. Und ich lache, während über mir lauter trockene Kastanienblätter ihren Ast loslassen und auf mich heruntersegeln. Hier und jetzt beschließe ich, auch weiterhin nicht auf Bäume zu klettern. Ich bin kein Bäume-Kletterer, sondern ein Bäume-Umarmer, denke ich. Und das ist völlig okay für mich.*

# MITTWOCHNACHMITTAG

Eigentlich wollte ich im Kaufhaus nur Buntstifte kaufen. Krümel hatte beschlossen, die Trauerkarte selbst zu malen, und hat darauf bestanden, dass er dafür neue Buntstifte braucht. Auch mein Bruder bekam in diesen Tagen mehr Wünsche erfüllt als sonst. Aber gleich neben dem Regal mit den Stiften stand der Ständer mit den Karten: *Ostern, Weihnachten, Hochzeit, Geburtstag, Taufe, Muttertag, Party, Trauer.*

Die Karten im Fach *Trauer* sahen alle bescheuert aus. Schwarz umrandet standen da einsame Bäume in Nebellandschaften, Kreuze, abgeblätterte Blüten, Engel aus weißem Stein. Kitschige Gedichte in schwarzen Buchstaben in der linken oberen Hälfte, immer irgendetwas mit Weg und Erinnerung und Unendlichkeit.

»Warte nur, bis du liest, was die Leute da reinschreiben! Das ist garantiert noch viel blöder.« Lina stand plötzlich neben mir und sah mir auffordernd ins Gesicht. Wieso lief sie mir plötzlich überall über den Weg? Ihre Haare waren wie immer zu einem lockeren Pferdeschwanz hochgebunden, sie trug den himbeerroten Pullover, mit dem ich sie am Abend zuvor beim Tanzen gesehen hatte.

»Na, hast du dich schon daran gewöhnt, dass du jetzt was Besonderes bist?«

Ich war zu überrumpelt, um zu antworten.

»Ich meine, dass alle einen Zentimeter an dir vorbeischauen und dich trotzdem die ganze Zeit genau beobachten? Dass keiner sich traut, dich zu fragen, was eigentlich passiert ist, obwohl alle wahnsinnig neugierig sind? Und dann noch die ganze Samthandschuhtour.«

Ich musste lächeln. Die Beschreibung war gut. Sehr gut. Das Einzige, was ich hätte hinzufügen können, war, dass sich plötzlich Mädchen für einen interessierten, die einen vorher überhaupt nicht beachtet hatten. Aber natürlich war ich nicht schlagfertiger als sonst.

»Nein, hab mich noch nicht dran gewöhnt.«

»Es geht vorbei«, versicherte Lina mir. »Ich kenne mich aus«, fügte sie hinzu. Es klang pseudoerwachsen und überheblich, aber natürlich fiel ich trotzdem darauf herein.

»Wieso?«

»Mein Bruder ...«, sagte Lina vielsagend, mehr nicht, und ich schluckte den Impuls, weiterzufragen.

Darum also interessierte sie sich neuerdings für mich, sie suchte einen Verbündeten. Einen Mitleider. Mitstreiter. Am liebsten hätte ich mich einfach wieder umgedreht und so getan, als hätte ich sie nie bemerkt. Aber Lina blieb hartnäckig stehen.

»Ganz oben ist eine Dachterrasse.«

»Aha.«

»Das war eine Einladung.« Lina lachte mir über die Schulter zu und ging voraus Richtung Aufzug. Ihr Pferdeschwanz schwang von rechts nach links wie ein Pendel aus Licht. Und ich tappte ihr wie ein Hund, dem eine Wurst versprochen worden ist, hinterher und ärgerte mich dabei über mich selbst. Aber gleichzeitig war ich jetzt doch neugierig. Auf Lina.

Oben auf der Dachterrasse quetschten wir uns zwischen den eng aufgestellten Cafétischen durch nach vorne zur Brüstung. Das Kaufhaus war viel höher, als es von unten aussah, und beim Hinuntersehen wurde mir sofort schwindelig. Aber der Ausblick war so gigantisch, dass ich meine Höhenangst beinahe vergaß. Der gepflasterte Marktplatz sah aus wie ein großes unregelmäßiges Mosaik und fast jedes der mittelalterlichen Häuser hatte einen Dachgarten. Der Himmel war immer noch tiefblau mit großen bauschigen Schönwetterwolken. Sonne und Wolkenschatten wechselten sich ab; während ein Haus von der Sonne beschienen wurde, lag das Nachbarhaus im Schatten. Ein Haus im Licht, ein Haus im Schatten, immer abwechselnd. Ich dachte an Mas Beschreibung vom großen schwarzen Vogel.

»Und, was ist mit deiner Mutter passiert?«

Lina war die Erste außer Janus, die einfach fragte, ohne Wenn und Aber.

»Wieso willst du das wissen?«

»Jeder will das. Wenn etwas Schlimmes passiert, dann will jeder wissen, wie das passieren konnte, was überhaupt genau passiert ist. Und natürlich vor allem, wer schuld ist. Ist doch klar.«

Was aber keiner will, dachte ich, ist, daran irgendwie teilnehmen. An dem Nicht-fassen-Können, dem Schwer-Aushalten und den unbeantworteten Fragen. Und darum schauen alle lieber betroffen an denen vorbei, denen es passiert ist, und reden über Quadratwurzeln. Nur nicht Lina.

»Und, wer ist schuld? Was ist passiert?«

»Plötzlicher Herzstillstand, mitten in der Nacht.«

Sie schaute weiter nach unten, ich auch. »Also konntest du dich nicht verabschieden.« Es war eine Feststellung, keine Frage.

»Nein«, sagte ich trotzdem und wünschte mir in diesem Augenblick auf einmal genau das: mich von Ma verabschieden zu können. Sie noch irgendetwas zu fragen. Ihr etwas zu erzählen. Gar nichts Hochtrabendes. Nur so etwas wie, dass ich gerade dabei war, Lina kennenzulernen. Was eine absurde Idee war, denn natürlich hätte ich gar nicht mit Lina hier oben gestanden, wenn Ma nicht drei Tage zuvor gestorben wäre.

»Wenn du dich nicht verabschieden konntest, dann ist das Loslassen besonders schwer«, unterbrach Lina meinen Gedankengang.

»Du bist Experte für alles, was mit dem Tod zu tun hat, oder?«

Lina zuckte mit den Schultern.

»Kennst du das, wenn man plötzlich lauter fremden Leuten auf der Straße davon erzählen will?«, fragte ich.

»Ja, klar. Du erzählst es anderen, um es selbst zu begreifen. Und außerdem willst du, dass die anderen denselben Schock erleben wie du«, erklärte Lina.

Der Wolkenschatten war vorbeigezogen und von einer Sekunde auf die nächste ließ die Sonne Linas hellblonde Haare grell aufleuchten.

»Siehst du ihn manchmal? Deinen Bruder, meine ich?«, fragte ich Lina.

Sie zögerte. »Warum?« Jetzt sah sie mich direkt an. Ihre Augen waren viel heller als meine. Zum ersten Mal fiel mir auf, dass ihre Augenbrauen oben einen Knick hatten.

»Ich sehe meine Mutter manchmal. Also, jetzt, seit sie tot ist.« Ich musste verrückt sein, ihr das einfach so zu erzählen, ich hatte ja noch nicht einmal mit Janus darüber gesprochen.

»Wo denn?«

»Zu Hause, auf dem Friedhof …« Das Schulklo verschwieg ich lieber.

»Und redet ihr dann miteinander?« Ganz kurz dachte ich fast, Lina höre sich neidisch an.

»Ja. Nein. Also kaum eigentlich. Meistens sagt sie nichts und verschwindet schnell wieder.«

»Die Stimme geht zuerst verloren«, stellte Lina fest und klang jetzt wieder so besserwisserisch wie vorher. »Jedenfalls, wenn du keine Videos hast, auf denen du sie hören kannst. Und dann kannst du dich irgendwann nicht mehr genau daran erinnern, wie sie sich bewegt hat, wie sie gelaufen ist, wie sie ihre Tasse hielt. Und du weißt auch nicht mehr, wie es sich angefühlt hat, wenn sie dich berührt. Du willst es aufhalten, aber das geht nicht.«

Sie sprach vollkommen ruhig. Ihre Augen waren jetzt wieder auf einen Punkt in der Ferne gerichtet, ihr Blick hing wie eingeklemmt irgendwo zwischen dem Marktplatzmosaik und dem Horizont fest.

Ich schwieg. Vielleicht meinte Lina mit all dem einfach, dass ich mir Ma einbildete. Und dass sie, wenn ich sie sah, nur deshalb kaum sprach, weil ich ihre Stimme schon nicht mehr im Ohr hatte. Ich bekam plötzlich Angst vor dem Vergessen.

»Wäre besser, wenn sie mehr reden würden, oder?«, sagte Lina unvermittelt. »Dann könnte man sie alles Mögliche fragen. Wie es ist, tot zu sein, und wie es ist, zu sterben. Ob es wehtut.«

Oder ob Ma wusste, dass sie herzkrank war, dachte ich. War es ein Geheimnis? Hatte sie schon vorher etwas bemerkt? Hatte sie eine Ahnung? Und wenn ja, warum hatte sie nie mit uns darüber gesprochen?

Von hier oben waren die Leute unten auf dem Marktplatz klein wie Ameisen. Trotzdem konnte man genau erkennen, ob so ein Ameisenmensch ein Mann war oder eine Frau, mehr noch, man erkannte, dass jeder Mensch seine eigene Art hat zu laufen, schleichend oder gehetzt, schwungvoll oder kraftlos, aufrecht, im Hohlkreuz, vornübergebeugt.

Vornübergebeugt. So, wie nur ganz große Menschen gehen, immer in dem Versuch, sich ein wenig kleiner zu machen. Ich erkannte Pa auch aus dieser Höhe sofort. Er ging quer über den Marktplatz, langsam, schlaksig, die breiten Schultern nach vorne gezogen. Er hatte nichts bei sich, und mir fiel auf, wie untypisch das war. Mein Vater trug immer irgendetwas in der Hand, eine Tasche, einen Schirm, eine Einkaufstüte. An der anderen war sonst immer Krümel. Ich weiß noch, dass ich es als Kind wunderschön fand, an Pas Hand zu gehen. Ich fühlte mich, als könne mir nichts passieren.

Jetzt aber waren seine Hände leer. Von hier oben konnte ich erkennen, wie er sich an das steinerne Portal der Kirche lehnte. Dann drehte er sich abrupt um und ging ebenso langsam und gebeugt wieder den Weg zurück, den er gekommen war. Er sah klein aus und das lag nicht nur an der Entfernung. Plötzlich wollte ich nur noch nach Hause.

»Ich muss los«, sagte ich zu Lina und wartete ihre Antwort nicht ab, bevor ich mich zwischen den Tischen durchdrängte und am Aufzug vorbei Richtung Treppenhaus jagte, damit mich Lina nicht einholen konnte.

Seit zwei Tagen war ich nicht mehr in unserer Wohnung gewesen. Der Flur hatte diesmal nichts Dornröschenhaftes. Pas Übergröße-Regenschirm war aufgespannt, seine Zacken ragten dem Holzritter spitz und schwarz entgegen wie die krustige Haut eines Unheil drohenden Drachen. Kein Jazz störte die Stille, kein Krümelgeschrei, kein Geschirrklappern.

Pa war noch nicht da. Ich blieb mitten im Flur stehen und atmete den typischen Zuhause-Geruch ein, der hinter dem ungewohnten Geruch von Zigaretten leicht auszumachen war. Staub, Tabak, Mas exotische Gewürze. Kardamom, Ingwer, Ras el-Hanout. »Rassel-an-Hut«, sagte Krümel. Irgendwo dazwischen, ganz fein und kaum wahrnehmbar, ein winziger Rest von Mas Lieblingsparfüm. Ich hängte meine Jacke an der Garderobe auf, direkt neben Mas rotem Mantel – eigentlich ein Zeichen, dass sie zu Hause war. Ich wollte ins Wohnzimmer gehen, blieb aber im Türrahmen stehen. Unter dem Fenster lag immer noch der Berg aus zerknülltem Zeitungspapier. Ma lachte mir von den Fotos aus zu. Konserviertes Lachen, konserviertes Leben. Über dem Stuhl neben dem Sofa hing einer von Mas unzähligen Seidenschals, ein türkisfarbener mit breiten grasgrünen Streifen. Ich nahm ihn in die Hand und legte ihn an meine Wange. Er war weich und federleicht und duftete so stark nach Ma, dass ich das Gefühl hatte, sie sei da, neben mir, hinter mir, nah, nah, näher, und ich sah mich um, erwartete ein Klirren von Armreifen, albernen Gesang, ein lautes Lachen, einen Fluch, und aus der Stille sprang mich plötzlich das Nie-Wieder an wie ein Monster. Ich drehte mich auf dem Absatz um und wollte schon die Jacke wieder anziehen, aber dann stieß ich doch die angelehnte Tür zum Schlafzimmer auf.

Das Zimmer lag immer noch im roten Licht, das Bettzeug türmte sich zerwühlt auf dem Bett, sodass ich mich unwillkürlich fragte, ob Pa darin geschlafen hatte. Es war dieselbe Bettwäsche, in der Ma geschlafen hatte. In der Ma gestorben war.

Ein Stück Papier lugte unter dem Bett hervor. Ich hob es auf. Auf weißem Grund liefen mehrere feine schwarze parallele Linien über den Papierstreifen. Ich brauchte einen Moment, bis ich begriff, was das war: das Kardiogramm, das die Sanitäter gemacht hatten, als sie versuchten, Ma zurückzuholen. Eine Aufzeichnung ihres nicht mehr funktionierenden Herzschlags.

Mein eigenes Herz reagierte mit umso stärkerem Klopfen, und mir wurde übel, als ich plötzlich wieder das Bild vor Augen hatte, wie der Sanitäter auf Mas Haaren kniete, und es wurde so real, dass ich die Situation sah, roch und schmeckte, genau so, wie sie gewesen war. Mein erster richtiger Flashback.

Ich stolperte rückwärts aus dem Schlafzimmer und vorwärts durch den Flur, griff im Gehen nach meiner Jacke und flüchtete, bevor Pa mich überraschen konnte.

Ich rief Janus aus sicherer Entfernung zu unserer Wohnung an.

»Ben, wie geht's?«, fragte er ohne Umschweife.

»Okay«, sagte ich. »Ich wollte mich entschuldigen, wegen gestern …«

»Kein Ding«, unterbrach mich Janus, und damit war die Sache erledigt. Janus war weder nachtragend noch leicht beleidigt. Er behauptet immer, er habe seine Robustheit in der Zeit entwickelt, in der unsere Klasse das Reimen von Namen auf andere Wörter entdeckte und sein Name mit Abstand die größte Angriffsfläche bot.

Für zwei Atemzüge war es still zwischen uns.

»Komm doch noch zu mir«, lud mich Janus dann ein.

Ich dachte an Janus' drei Schwestern, die in der Küche herumalberten, in der es immer nach frisch gebackenem Kuchen roch, an seinen kleinen Bruder mit der Dauerrotznase und das unerträgliche Musikgemisch in der Wohnung, weil jeder in Janus' Familie unbedingt seine eigene Musik hören wollte. Und an seine Mutter, die so gar nicht war wie meine, sondern klein und zierlich und still und gelassen und immer gut gelaunt.

»Ben? Bist du noch da?«, fragte Janus.

»Können wir uns lieber morgen sehen?«, fragte ich zurück. »Ich komme wieder in die Schule.«

»Ja, klar. Ich hol dich bei deiner Tante ab«, versprach Janus, bevor er in seine Welt zurückkehrte, in der es Punkmusik und Radiogedudel gab, Mixergeheul und Streit. Und eine Mutter. Ich fühlte mich plötzlich allein, anders, alienmäßig.

Als ich Tante Gerdas Haustür aufschloss, war sie gerade dabei, zu staubsaugen. Ist es nicht komisch, dass man solche Sachen macht, wenn jemand gestorben ist, essen, trinken, staubsaugen? Man macht sie nicht einmal anders als sonst, weder bewusster noch langsamer, noch schlechter. Vielleicht ist es genau das, was die Leute meinen, wenn sie sagen, »das Leben geht weiter«. Vielleicht meinen sie gar nicht, dass man wieder glücklich wird oder wieder liebt, sondern dass man wieder staubsaugt.

Tante Gerda saugte um Krümel herum, der mitten im Flur saß und einen Turm aus blauen Legosteinen baute. Sie staubsaugte konzentriert und gründlich, und sie sah sofort, dass ich meine Ruhe haben wollte. Sie nickte mir nur kurz zu, sodass ich direkt im Badezimmer verschwinden konnte.

Viele Bücher oder Filme drehen sich ums Erwachsenwerden, und sehr oft wird in so einem Buch oder Film behauptet, das Erwachsenwerden ereigne sich plötzlich, mit einem Schlag, durch ein einschneidendes Erlebnis, mit dem der Held – oder die Heldin – hokuspokus erwachsen wird. Das ist natürlich Quatsch. Erwachsen werden geht schleichend, bei manchen Leuten sogar quälend langsam. Bei mir zum Beispiel. Im Gegensatz zu Janus' Schultern waren meine immer noch schmal wie bei einem Mädchen. In letzter Zeit ertappte ich mich dabei, wie ich manchmal nach dem Flaum suchte, der in meinem Alter langsam am oberen Rand der Oberlippe erscheinen sollte. Vielleicht lag es daran, dass Blonde erst später einen Bart bekommen als Dunkelhaarige. Jedenfalls konnte ich auch jetzt, drei Tage nach dem einschneidendsten Erlebnis meines bisherigen Lebens, weder Barthaare noch sonst irgendwelche Veränderungen an mir entdecken, als ich vor Tante Gerdas großem Badezimmerspiegel stand.

Das Schönste an mir waren meine Augen, auch wenn bisher vermutlich keiner außer mir sie bemerkt hatte. Sie waren blaugraugrün, hatten aber in der Mitte um die Pupille einen goldenen Ring. Meine Augen sind das Einzige, was ich von Ma geerbt habe. Und jetzt bin ich der Letzte, der sie hat.

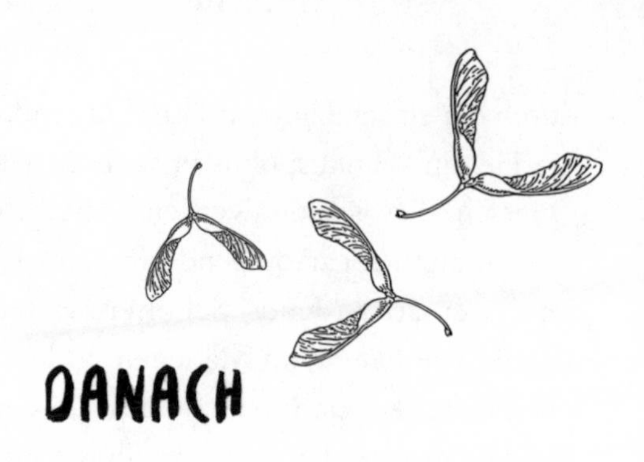

# DANACH

*Es ist tatsächlich Krümels Idee gewesen. Karls Idee. Ich habe jetzt doch angefangen, ihn Karl zu nennen. Der Name hört sich noch sperrig an, wenn ich ihn laut sage, aber ich merke, dass Karl sich jedes Mal freut, wenn ich ihn so nenne. Im Herbst kommt er in die Schule.*

*Wir haben Fotoalben angesehen, und da ist Karl aufgefallen, dass meine Augen dasselbe Grün haben wie Mas. Und dass seine ein anderes haben. In seinem Wasserfarbkasten wollte er die richtigen Farben für unsere Augen finden, aber es hat auch mit stundenlangem Mischen nicht geklappt. Jetzt sind wir im Kräutergarten hinter dem Rathaus, wo er mit seinen Farbforschungen weitermachen will. Im Frühling gibt es die meisten Grüntöne.*

*Es ist eigentlich zu warm für Mitte März. Ma hätte den Tag zum ersten T-Shirt-Tag des Jahres erklärt. Ich liege auf dem kurzen, harten Gras, der Boden ist noch kalt, Karl rennt herum und sammelt Blätter. Von jedem Baum, jeder Blume, jedem Strauch genau eins, ein Wunder, dass er den Überblick behält. Ein Zitronenfalter flattert knapp über meine aufgestellten Knie hinweg. Ich versuche, mich nicht zu bewegen, vielleicht nimmt der Schmetterling auf meinem Knie Platz.*

*Karl hat alle gesammelten Blätter neben mich gelegt, als Vergleichsmaterial. Ich hoffe, dass uns niemand erwischt, im Kräutergarten soll man nicht einfach Blätter abreißen. Andererseits wird jeder Karls Charme erliegen, wenn er seine Augenfarbenforschungen erklärt.*

*Vor dem blauen Himmel fliegt der Zitronenfalter zum zehnten Mal über mich hinweg. Ich stelle mir vor, dieser Zitronenfalter ist Ma, die neugierig ist und sehen will, was wir machen, jetzt ohne sie. Ich gebe meine Bewegungslosigkeit auf und winke dem Zitronenfalter zu. Ich komme mir dabei ein bisschen albern vor.*

*»Achtung, jetzt fang ich an«, verkündet Karl und setzt sich neben mich ins Gras. Eines nach dem anderen legt er die abgerissenen Blätter auf meine Wange, direkt neben mein linkes Auge. Manche riechen stark, der Thymian, das Maggikraut. Andere kitzeln mich mit feinen Härchen und ich muss blinzeln.*

*»Nicht!«, protestiert Karl dann. »Ich muss doch vergleichen!« Dieses Spiel hätte Ma gefallen, der Kräutergarten im Frühling sowieso.*

*»Tatatataaa! Ich hab deine Farbe!«, schreit er mir schließlich so ins Ohr, dass ich zusammenfahre.*

*»Und?«*

*»Das Blatt hier passt genau zu deinen Augen.« Er hält es hoch.*

*»Salbei«, sage ich. »Ich hab also Salbeiaugen.« Mas Salbeiaugen, denke ich und stecke das Salbeiblatt in die Hosentasche.*

*Karl muss lachen. »Jetzt ist meine Augenfarbe dran!«*

*Der Zitronenfalter ist verschwunden.*

# MITTWOCHNACHT

Mitten in der Nacht wachte ich von einem leisen Rascheln auf. Vorsichtig spähte ich von Tante Gerdas Schlafsofa aus durch die angelehnte Wohnzimmertür in den Flur und sah Krümel in seine Jacke schlüpfen. Während er seine Schnürsenkel band, wofür er eine Ewigkeit brauchte, zog ich meine Jeans und einen Pullover an. Wie immer, wenn er abhauen wollte, ließ Krümel die Wohnungstür einfach offen stehen. Ich folgte ihm unbemerkt hinaus in die Dunkelheit.

Krümel bewegte sich nicht in seinem typischen Zickzackgang, sondern ging für seine Verhältnisse sehr zielgerichtet den Gehweg entlang. Immer, wenn er unter einer Straßenlaterne durchlief, leuchteten seine hellen Haare wie ein Heiligenschein auf, dann verschwand er wieder bis zur nächsten Laterne im Dunkel. Obwohl es eine mondlose Nacht war, schien er sich kein bisschen zu fürchten. Warum er leicht gebückt lief, erkannte ich erst bei der dritten Laterne: Er trug einen großen ausgebeulten Stoffbeutel über der einen Schulter, ab und zu wechselte er ihn auf die andere. Das, was darin war, musste ziemlich schwer sein.

Nach der Hälfte der Strecke bekam ich langsam eine Ahnung, wo er hinwollte, aber erst, als wir am Friedhofstor ankamen, konnte ich glauben, dass Krümel tatsächlich zum Friedhof wollte. Er blieb nicht lange vor dem verschlossenen Tor stehen, sondern ging direkt um die Mauer herum bis dorthin, wo wir beide am Morgen gesessen hatten, dorthin, wo Mas Grab sein würde. Die Mauer war hier am niedrigsten, doch weil der Friedhof etwas erhöht lag, musste Krümel seinen Stoffbeutel mit viel Schwung über seinen Kopf schleudern. Mit lautem Scheppern landete der Beutel auf der anderen Seite. Krümel sah sich nicht einmal um. Dann nahm er die Mauer ins Visier, um sie selbst zu erklimmen. Wenn ich ihn nicht beim Klettern erschrecken wollte, musste ich mich jetzt zu erkennen geben.

»Krümel«, rief ich leise.

Er fuhr herum.

»Ben!«

Aus großen unschuldigen Augen schaute mich mein kleiner Bruder an, selbst im Halbdunkel sah ich, wie sein Gehirn die Tatsache, dass ich hier war, bereits zu einem Vorteil umbaute.

»Krümel, was hast du jetzt schon wieder vor?« Er guckte nur. Vielleicht überlegte er noch, ob er mir trauen konnte. »Mitten in der Nacht. Auf dem Friedhof?!«, fügte ich hinzu, um meiner Frage mehr Nachdruck zu verleihen. Eigentlich wäre das hier wirklich Pas Aufgabe gewesen, aber ich hatte mich schon fast daran gewöhnt, seine Rolle zu übernehmen.

»Ich sag es dir, wenn wir drinnen sind.« Er sah mich herausfordernd an.

Wie immer gab ich schneller nach als er. »Okay.«

Ich formte meine Hände zur Räuberleiter, er stieg hinein, kletterte auf die Mauer hinauf und streckte dann eine Hand nach unten zu mir. Ich hielt mich lieber an der Mauer fest und zog mich hoch.

Im Schatten der Bäume lag der Friedhof dunkler da als die Straße. Unwillkürlich sah ich mich nach Ma um, aber die Birke stand unbeweglich im Dunkel. Keine Amsel, keine Maus, kein Eichhörnchen.

Es gibt Menschen, die nachts als Mutprobe auf dem Friedhof spazieren gehen. Ich gehöre ganz klar nicht zu diesen Menschen. Krümel war weniger ängstlich als ich, obwohl er weniger als halb so alt ist.

»Wo willst du denn hin?«, rief ich ihm leise hinterher.

»Zur Kapelle«, antwortete er knapp.

Über der Tür der Kapelle war eine altmodisch verschnörkelte Laterne angebracht, die einen warmgelben Lichtschein auf den Kies vor der Tür warf. Sorgen begann ich mir zu machen, als Krümel einen Schraubenzieher aus der Stofftasche zog und sich damit an der Tür der Kapelle zu schaffen machte. Ich zog ihn aus dem Licht.

»Lass mich los!«, fauchte Krümel.

»Sag mir jetzt endlich, was du vorhast!«, zischte ich zurück und hielt ihn am Ärmel fest.

»Ich will doch nur zu Ma«, sagte er kleinlaut.

»Zu Mas Sarg?«, fragte ich nach. »Willst du Ma noch mal sehen?«

»Nein«, sagte Krümel, »ich seh sie doch schon dauernd.«

»Was dann?«

»Den Sarg anmalen …« Krümel sprach so leise, dass ich es kaum verstand.

»Was?«

»Den Sarg anmalen«, wiederholte Krümel.

Ich musste mich beherrschen, um nicht laut loszulachen. Er hielt mir seinen Stoffbeutel hin. Offenbar hatte er eingesehen, dass er seinen Plan nicht alleine durchziehen konnte. Ich stellte mich nun doch ins Licht. Krümel hatte Farben mitgebracht. Fünf verschiedene Dosen mit Lackfarben, dazu sein Taschenmesser, mehrere Pinsel, Küchenpapier und seine Mickeymaus-Taschenlampe.

»Wenn ich gefragt hätte, hättet ihr es mir verboten, oder?« Krümel sah mich an, und ich konnte seine Angst sehen, dass ich es ihm jetzt noch verbieten könnte. »Hilfst du mir?«

Ich nahm ihm den Schraubenzieher ab. Das Ding lag schwer und kalt in meiner Hand und mit einem Mal war mein Widerstand verflogen. Krümel ließ mich nicht aus den Augen, als ich die uralte schwere Holztür der Kapelle damit bearbeitete. Aber es war leichter, als ich dachte. Es gab ein kleines Knacken und dann ließ sich die Tür aufstoßen. Sie gab dabei einen hohen, vibrierenden Jammerton von sich, sodass ich mich umsah, ob keiner kam, um uns zur Rede zu stellen. Aber es blieb still.

Ich hatte das uralte Gebäude noch nie betreten, aber Krümel zögerte keinen Moment. Er zog die Taschenlampe hervor, steuerte auf die Treppe zu und stieg die schiefen, ausgetretenen Stufen in die Tiefe. Ich folgte ihm in die Krypta, die unter dem kleinen Kirchenraum lag. Je tiefer wir stiegen, desto modriger roch es. Es roch nach früheren Jahrhunderten, nach Dunkelheit, nach Tod. Mir wurde übel, und ich versuchte, ganz flach zu atmen.

Mas Sarg stand auf einer Art Tisch und war aus hellem Holz. Glatt und neu sah er aus, fremd und kalt. Einen Augenblick lang standen wir davor, als warteten wir auf etwas. Darauf, dass der Sarg aufgehen würde und Ma herauskäme vielleicht, oder dass hinter uns eine Tür quietschte wie in einem Horrorfilm. Nichts geschah. Außer, dass Krümel jetzt das Taschenmesser aus seiner Tasche holte und ich Angst bekam, er wolle nun auch noch den Sarg öffnen. Aber stattdessen versuchte er, die Farbdosen aufzukriegen. Ich nahm ihm Dose und Taschenmesser aus der Hand, schüttelte eine Dose nach der anderen, öffnete sie und stellte die Dosen nebeneinander auf. Die Farben hätten Ma gefallen: Rot, Grün, Gelb, Türkis, Orange. Krümel überreichte mir feierlich den Pinsel.

Und dann malten wir Mas Sarg an. Wir konnten nur abwechselnd malen, denn einer musste die Taschenlampe halten. Alleine hätte Krümel das nie geschafft. Er malte zuerst eine gezackte grüne Wiese. Ich malte einen gelben Löwen. Krümel malte rote Mohnblumen, ich einen orangefarbenen Mond, der aussah wie ein Kürbis. Krümel fügte eine Sonne und Sterne hinzu und außerdem einen türkisfarbenen Schuh.

Ich weiß nicht, wie lange es dauerte. Wir malten konzentriert und ohne zu reden, bis der ganze Sarg ein einziges buntes Gemälde war. Erst ganz am Schluss fiel mir wieder ein, dass wir dabei nur wenige Zentimeter von Ma entfernt waren. Vielleicht hörte sie innen im Sarg das leise Streichen des

Pinsels auf dem Holz, als Krümel ganz zum Schluss unten rechts auf den Sargdeckel einen grünen Regenschirm malte. Beinahe konnte ich das vertraute leise, gläserne Klirren ihrer Armreifen hören und dann einen leisen Fluch von Ma, die sich darüber beschwerte, dass sie im Sarg ihre Arme nicht richtig ausstrecken konnte. Ich fragte mich, was Ma anhatte, wer ihr eigentlich angezogen hatte, was sie jetzt anhatte, und ob derjenige an die Armreifen gedacht hatte.

»Was denkst du, ob es Papa gefallen wird?«, fragte Krümel.

Ich sah den Sarg an. Mohnrot und türkisgrün.

»Ich weiß nur, dass es Ma gefallen würde«, sagte ich.

»Dann gefällt es Papa auch.« Seine Augen funkelten im Dunkel.

»Krümel, ich finde, wir sollten wieder nach Hause zu Pa gehen.«

»Aber dann macht sich Tante Gerda Sorgen.«

Ich musste grinsen. Das hatte ihn bei seinen Ausreißereien der letzten Tage doch auch nicht gestört.

»Ich meine nicht heute Nacht. Morgen.«

»Okay«, sagte Krümel. »Können wir machen.« Gemeinsam machten wir die Farbdosen wieder zu und packten zusammen.

Als wir die Kapellentür vorsichtig hinter uns zuzogen, quietschte sie ein leises, hohes Abschiedsvibrato. Mehrere Mäuse huschten erschrocken über den Kiesweg davon. Noch als wir über die Mauer zurück nach draußen kletterten, hatte ich den beißenden Geruch der frischen Farbe in der Nase, als würde er die Friedhofskapelle umhüllen wie ein Mantel.

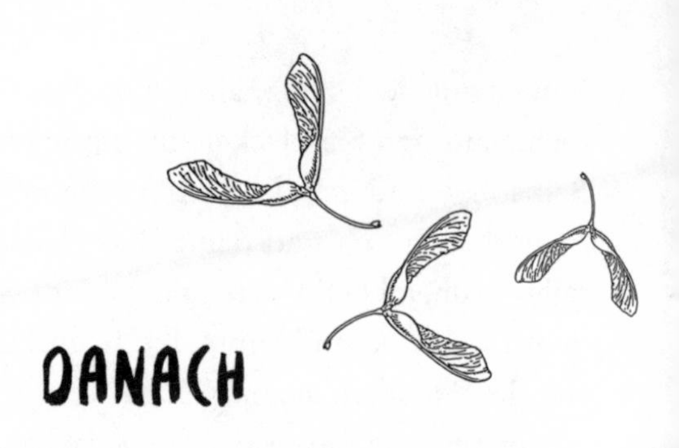

# DANACH

*Am Anfang habe ich gedacht, dass wir irgendwann wieder gemeinsam in den Wald gehen würden, wie damals, mit Ma, als wir noch eine ganze Familie waren. In einer Zukunft, in der sich alles ein bisschen normalisiert hätte, wie Janus vielleicht sagen würde. Vielleicht kommt diese Zukunft ja auch noch. Aber bis auf Weiteres gehe ich sonntags alleine in den Wald. Ich weiß nicht, ob Pa weiß, wohin ich dann verschwinde. Es ist in Ordnung, dass er nicht fragt. Karl und er spielen dann einfach zwei Stunden ohne mich »Mensch ärgere Dich nicht« oder backen Pizza, bis ich zurückkomme.*

*Bis zum Wald gehe ich immer schnell, überlasse meine Beine ihrem eigenen, gleichmäßigen Rhythmus. Im Wald werde ich langsamer. Manchmal mache ich beim Geheimen Stein Pause, setze mich in meine Kuhle, für die ich in letzter Zeit den Kopf ein wenig einziehen muss. Manchmal lege ich mich eine Viertelstunde ins Moos, schaue in den Himmel zwischen den schwankenden Kronen der Fichten. Mal stecke ich jedes Schneckenhaus ein, das auf meinem Weg liegt, mal keines. Manchmal denke ich an Ma im Kastanienbaum, an Ma hinter dem glitschigen Baumstamm, manchmal weine ich. Manchmal denke ich gar nichts. Heute zum Beispiel. Alles blüht. Ma würde eines ihrer Lieblingsmaigedichte rezitieren, wenn sie das sähe. Der Wald riecht schon nach warmem Holz, das die Sonnenstrahlen bis in den Abend konserviert. Ich liege auf einem der umgefallenen Bäume, ein Aststumpf bohrt sich hart in die Mitte meines Rückens, aber ich bin zu faul, aufzustehen, bleibe lieber unbewegt liegen.*

*Weil ich die Augen geschlossen habe, bemerke ich Lina erst, als ihr Schatten auf mein Gesicht fällt. Ihren himbeerroten Pullover mit der davor baumelnden Kameratasche sehe ich als Erstes, danach erst ihr helles Gesicht, das auf mich herunterschaut. Ganz komisch schaut sie mich an, unspöttisch heute, ihre Augen sind heller als der Himmel. Sie nimmt ganz langsam ihre Kamera aus der Tasche, als sei ich ein Tier, das sie nicht durch zu schnelle Bewegungen verscheuchen will, und schaut durch den Sucher, lässt den Zoom ausfahren wie ein Teleskopauge, das mich aus der Nähe betrachten will. Sie drückt nicht auf den Auslöser, versteckt bloß ihr Gesicht hinter der großen schwarzen Kamera. Nur ihren konzentrierten, schmalen Mund sehe ich.*

*Ich sage nichts, bleibe einfach liegen, der Astknoten drückt sich in meinen Rücken. Lina sagt auch nichts. Ohne ein einziges Foto von mir gemacht zu haben, packt sie ihre Kamera wieder in die Tasche. Plötzlich streckt sie ihre Hand aus und fährt mit ihrer Handfläche meine Wange entlang, einmal ganz langsam von oben nach unten. Dann lächelt sie, dreht sich um und geht weg. Wie ein Waldgeist, und später frage ich mich, ob ich mir das Ganze nur eingebildet habe. Mein Herz klopft laut bis in die Ohren. Aber das höre nur ich.*

# DONNERSTAGVORMITTAG

Gegen Morgen, kurz bevor der Wecker klingelte, träumte ich von meiner Mutter. Es war kein spektakulärer Traum. Ich traf Ma im Zoo. Neben dem Kängurugehege stand ich und wartete auf sie, wie immer kam sie zu spät und eilte auf mich zu, um mich dann zu umarmen. Gerade, als ihre Armreifen hinter meinem Rücken klirrten und sie mir atemlos ins Ohr lachte, wachte ich auf.

Manchmal passiert es, dass ich aufwache und für einen Augenblick nicht weiß, wo ich bin, weil der Traum, aus dem ich falle, so real war. Diesmal war es schlimmer. Für eine Sekunde, in der ich zwischen Traum und Aufwachen schwebte, hatte ich das Gefühl eines ganz normalen Morgens. Mein Gehirn brauchte genau diese Sekunde, um Tante Gerdas Sofa, auf dem ich lag, und das diffuse Dämmerlicht des ungewohnten Zimmers in einen sinnvollen Zusammenhang zu bringen, brauchte eine Sekunde des Warmwerdens, bevor ich mich erinnerte.

So ist das jetzt immer, dachte ich dann. Aufwachen und einen winzigen Moment denken, alles sei normal. Und dann: vollständig aufwachen, erinnern – baaamm! Mit einem lautlosen Knall kam ich in meinem neuen Alltag an, in dem nichts normal war. Ich fror an den Füßen. Als ich vom Sofa steigen wollte, kam unter der Decke ein leises Schnarchen hervor. Über meinem Traum hatte ich Krümel ganz vergessen, der neben mir schlief. Wie immer hatte er sich beim Schlafen die Decke komplett übers Gesicht gezogen, aber ganz oben sah ich eine halbe Krümel-Hand hervorlugen, die kleinen Finger fünffarbig verschmiert.

Es klingelte. Janus war früher dran als sonst, wenn er mich zur Schule abholte, sah aber so müde aus wie jeden Morgen. Ich freute mich, dass wenigstens manches war wie immer.

»Morgen«, murmelte er. »Gut geschlafen?« Ich fragte mich, ob das jemals wieder aufhören würde, dass wirklich jede einzelne Floskel unpassend klang. Natürlich konnte Janus nichts dafür.

»Nein. Zuerst bin ich mit Krümel in die Grabkapelle eingebrochen, um den Sarg meiner Mutter zu schänden, und dann habe ich auch noch von ihr geträumt.«

Janus sah mich verständnislos an.

»Echt jetzt? Was habt ihr denn mit dem Sarg gemacht?«

»Eigentlich nur angemalt. Krümel dachte, Ma mag es lieber bunt.«

Janus lachte. »Gute Idee«, sagte er dann anerkennend. »Und du?«

»Na ja, ich hab mitgemacht.« Mit einem Mal ärgerte ich mich, dass ich nicht selbst auf die Idee mit dem Sarg gekommen war. Dass ich überhaupt immer nur mitmachte, was andere vorschlugen, dorthin ging, wo andere mich hinschleppten oder hinlockten. Ben, der Beobachter, Mitmacher, Mitläufer.

»Ihr habt viel zu organisieren, oder?«, fragte Janus vorsichtig, als hätte er meine Stimmung gespürt.

»Falls du damit meinst, Friedhof anschauen, Todesanzeige schreiben, meinen kleinen Bruder an den verschiedensten Orten aufsammeln …«, sagte ich ironisch.

»… und fremde Leute mit deiner Story schocken.« Lange konnte Janus nie rücksichtsvoll bleiben.

Ich nahm den Stapel Briefumschläge von Tante Gerdas Kommode. Die ersten Todesnachricht-Briefe waren fertig, jeder Umschlag weiß mit einer schiefen schwarzen Umrandung, die Krümel mit seinem Lineal gezogen hatte. Darin würden die Leute die verrücktesten Traueranzeigen finden, die sie je gesehen hatten, denn Krümel hatte die Karten ziemlich fantasievoll bemalt. Jede Karte sah anders aus, aber alle waren sehr, sehr bunt.

»Meinst du, dass das alles irgendwann einmal wieder etwas normaler wird?«

»Vielleicht braucht es länger als vier Tage«, sagte Janus trocken.

Mir fiel Mas Weisheit vom In-den-Tag-Leben ein. »Meine Mutter sagte immer, man soll jeden Tag so nehmen, wie er kommt. Nicht zurückschauen, sondern nur nach vorne.« Als hätte sie gewusst, dass bei ihr jeder Tag zählt.

»Leicht gesagt. Sie muss sich ja jetzt nicht mehr mit den Details rumschlagen«, kommentierte Janus und guckte dann erschrocken, aber ich war dankbar, dass er dummes Zeug redete. Dass es ihm nicht wie allen anderen die Sprache verschlagen hatte.

Diesmal überstand ich den Vormittag besser. Vielleicht hatte ich mich schon ein wenig an die schrägen Blicke gewöhnt, mit denen die anderen unter den ins Gesicht hängenden Haaren zu mir herüberschielten. Vielleicht war ich auch abgelenkt. Ich spürte, dass Lina meinen Blick suchte, während ich angestrengt versuchte, ihren zu vermeiden. In Biologie erreichte mich ein kleiner grauer Zettel, exakt Ecke auf Ecke gefaltet. *Ben* stand darauf, in filigraner schwarzer Schrift. Janus schob ihn mir mit einem Stirnrunzeln hinüber. Ich bekam nie Zettel.

*Was war gestern los?* stand auf dem Zettel, sonst nichts. Ich spürte Janus' Blick, wie er ihn ganz selbstverständlich über meine Schulter wandern ließ und mitlas. Ich faltete den Zettel schnell wieder in seine ursprüngliche Form und schob ihn zu den anderen Sachen in meine Hosentasche.

Der zweite Zettel kam in der letzten Stunde: *Nach der Schule auf dem Marktplatz?*

Als ich das Klassenzimmer mit Janus verließ, achtete ich darauf, Lina kein positives Zeichen zu geben, sondern nur neutral »Tschüs« zu sagen, als hätte ich das Ganze gar nicht kapiert.

»Kommst du noch mit?«, fragte Janus mich, als wir über den Schulhof gingen. Nach den Zetteln fragte er mich nicht.

»Ich will heute wieder nach Hause«, sagte ich statt einer klaren Antwort. Janus nickte.

»Zu meinem Vater«, fügte ich hinzu. Es klang abwehrender, als ich wollte.

»Okay.«

»Krümel kommt auch mit. Wir haben das gestern Nacht ausgemacht. Vielleicht ist es besser, wenn wir wieder alle zusammen zu Hause sind.«

»Ja«, sagte Janus, aber er hatte gar nicht richtig zugehört, sondern hing offensichtlich mit seinen Gedanken irgendwo anders fest.

»Ich schreib dir!«, sagte ich noch, aber er war schon in die andere Richtung davongeschlurft.

Ich merkte, wie ich Angst hatte, nach Hause zu gehen. Was, wenn Pa immer noch auf dem Boden im Flur saß und keinen normalen Satz sagen konnte? Was, wenn er überhaupt nie mehr normal mit Krümel und mir reden würde? Ich schwang meinen Rucksack von der einen Schulter auf die andere. Ich steckte meine Hand in die linke Hosentasche, nahm den Kieselstein heraus und ließ ihn in die rechte Tasche gleiten. So wie ich es immer machte, wenn ich mir selbst einen Punkt geben wollte, weil ich meine Schüchternheit überwunden und mich mehr getraut hatte als sonst. Oder vorher, wenn ich mir selbst Mut zusprechen wollte. Was war jetzt mutiger: zu meinem lethargischen Vater zurückzukehren oder zum Marktplatz zu gehen, wo Lina womöglich auf mich wartete? Ich schlug den Weg zum Marktplatz ein.

Ich sah Lina sofort. Diesmal konnte ich sie überraschen, denn sie war mit dem Rücken zu mir in die Hocke gegangen und bewegungslos wie in Blei gegossen. Als ich näher kam, sah ich, warum. Sie hielt eine große Kamera vors Auge gepresst, eine sehr teure, wie es aussah.

»Hi, Lina!«

Lina zuckte kurz zusammen, veränderte aber ihre Position kein bisschen. Ich schaute in die Richtung, auf die das Objektiv gerichtet war, auf das Seitenportal der Kirche. Lauter identische Steinfiguren aus hellrotem Sandstein.

»Was fotografierst du da?«

»Die Karyatiden.« Sie schraubte am Objektiv herum.

»Was?«

»Die Karyatiden«, wiederholte sie.

Ich musste mindestens zwei Minuten warten, bis sie die Kamera sinken ließ, sie mit routiniertem Griff in der Fototasche, die von ihrer Schulter baumelte, verstaute und sich zu mir umdrehte.

»Hi.«

Um ihr linkes Auge hatte der Sucher einen rechteckigen Abdruck hinterlassen. Es sah aus wie eine alberne einseitige Minibrille. Lina ging einige Schritte Richtung Kirchenportal und drehte sich zu mir um, während sie mit den Fingern behutsam an den Steinfiguren entlangfuhr.

»Karyatiden«, sagte sie. »Das sind die Figuren an Gebäuden, die so aussehen, als würden sie das Gebäude tragen.«

Erst jetzt fiel mir auf, dass die Frauenfiguren am Portal tatsächlich alle die Hände nach oben gestreckt hatten, um den darüberliegenden Sims zu stützen.

»Die Karyatiden könnte ich noch jahrelang fotografieren.

Du musst mal darauf achten: Jede hat einen anderen Gesichtsausdruck. Aber es sind immer nur Frauen, die so schwer tragen müssen.« Ihr Ton vibrierte wie üblich zwischen ernst und spöttisch.

»Kann ich die Bilder mal sehen, die du gemacht hast?«

Lina holte die Kamera wieder aus der Tasche, schaltete sie ein und hielt sie mir hin. Ich drehte vorsichtig das Display zu mir. Lina hatte viele Bilder gemacht. Alle waren Detailaufnahmen, alle schwarz-weiß. Ich klickte mich rückwärts durch die Galerie und fragte mich, wie lange Lina schon hier gestanden und fotografiert hatte, so viele waren es. Die Bilder waren gut, sehr gut sogar. Die Karyatiden sahen echter aus als in Wirklichkeit, beinahe lebendig.

Dann war da plötzlich ein anderes Motiv zu sehen. Ein junger Mann, oder eher ein Junge, eine Großaufnahme, auch schwarz-weiß. Er schlief. Oder auch nicht. Sein Gesicht sah irgendwie merkwürdig aus, ich konnte nicht genau sagen, warum.

»Wer ist das?«, fragte ich Lina.

Sie schaute mir einen Moment erschrocken ins Gesicht, entsetzt, ertappt irgendwie.

»Das geht dich gar nichts an«, zischte sie, riss mir die Kamera so heftig aus der Hand, dass sie fast zu Boden fiel, und stopfte sie in die Tasche, ohne sie auszuschalten.

Ich hielt still, als wollte sie mich mit der Fototasche schlagen. Lina blinzelte.

»Wie geht es deiner Familie?«, fragte sie dann freundlich, als sei nichts gewesen. Lina mit den zwei Gesichtern.

»Meiner Familie?« Im Gegensatz zu ihr selbst hatte ich Schwierigkeiten mit ihrem rasanten Stimmungswechsel.

»Hast du nicht einen kleinen Bruder? Wie kommt er denn jetzt klar?«

»Mein Bruder«, stotterte ich. »Ja. Krümel. Er ist sechs. Er läuft gerade dauernd weg.«

»Wohin läuft er denn?« Lina hatte ihren spöttischen Ton wiedergefunden.

»Er hat alle möglichen Ideen. Baut Mausoleen für meine Mutter und so.« Ich beschloss, ihr nichts von dem bemalten Sarg zu erzählen. Ich wusste ja nicht einmal, ob sie es für sich behalten würde.

»Dann kommt er ja bestens klar«, sagte Lina. »Kinder können mit dem Tod meistens viel besser umgehen als Erwachsene.« Es klang wie eine Parodie auf Frau Meggler vom Sozialdienst. Künstlich. Erwachsen. Bescheuert.

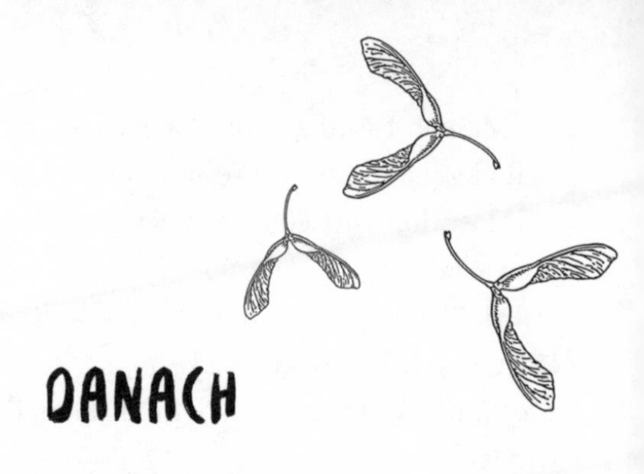

# DANACH

*Krümels, also Karls, siebter Geburtstag ist ein Sonntag Anfang Juni. Seit dem Tag im Kräutergarten weiß ich genau, was ich ihm schenken werde. Vielleicht muss es so sein, dass sich jetzt, wo ich meine komische Leidenschaft für Bäume und Blätter nicht mehr mit Ma teilen kann, plötzlich Karl für alles Grüne interessiert. Bei jeder Gelegenheit zupft er Blätter von den Bäumen, zerreibt sie zwischen den Fingern und riecht daran, stapelt sie zu kleinen Türmchen oder presst sie in Tante Gerdas Märchenbuch. Neuerdings nennt er sich »Waldman« und malt täglich zwei Bilder von sich in einem grünen, von Spiderman inspirierten Anzug und mit riesigem Schwert. Klar, dass wir seinen Geburtstag mit einem Picknick im Wald feiern müssen. Vielleicht ist es auch Schicksal, dass die Botanisiertrommel immer zu einem siebten Geburtstag den Besitzer wechseln muss.*

*»Abrakadabra!«, ruft Pa.*

*Er ist dünner geworden im letzten Dreivierteljahr, und seine Haare hängen ihm vorne etwas wild ins Gesicht, aber ich sehe sofort, wie stolz er auf die Geburtstagstorte ist, die erste, die er gebacken hat. Sie ist rund und bestimmt zwanzig Zentimeter hoch und giftgrün. Obendrauf steht in Zuckerschrift »Karl,*

*7 Jahre« neben einer Waldman-artigen Figur, bei der bestimmt Tante Gerda geholfen hat.*

*Karl strahlt über das ganze Gesicht, als er die Torte sieht, und er muss sie mindestens fünf Minuten anstarren, bevor Tante Gerda sie anschneiden darf. Bei der Botanisiertrommel macht er erst einmal ein überraschtes Gesicht, und ich muss lächeln, als er genau wie ich damals wissen will, was das ist.*

*»Das ist die gute alte Botanisiertrommel«, sagt Pa und nickt mir anerkennend zu. »Man sammelt darin Blätter, Zweige und Beeren. Einige Jahre lang ist Ben niemals ohne sie aus dem Haus gegangen. Und für einen Waldman ist sie absolut unverzichtbar!«*

*»Man kann sie sich umhängen«, füge ich hinzu und hänge mir die Trommel um den Hals, um es ihm zu zeigen.*

*Genau in diesem Moment vibriert mein Handy. Ich schiele aufs Display. Eine Nachricht von Lina. »Heute Lust auf Eis?!« Mehr nicht. Aber irgendwo in meinem Bauch sprudelt etwas wie prickelnde Luftblasen, und ohne darüber nachzudenken, führe ich einen albernen kleinen Indianertanz mit der Trommel auf, so dass Pa, Karl und Tante Gerda mich überrascht anstarren. Ich stecke das Handy weg und hänge meinem kleinen Bruder die Trommel um. Ich muss die Riemen ein bisschen kürzer machen, genau wie Ma damals bei mir. Und dann zieht er auch schon los, Krümel-Karl, der Waldman.*

*Ich setze mich auf die Picknickdecke und teile mir mit Pa den Rest der Torte, die klebrig-süß schmeckt, nach Schokolade und Minze. Rundum riecht es nach Juni-Wald: Rinde, trockenes Moos und Waldmeister.*

# DONNERSTAGNACHMITTAG

Ich ging dann doch noch zu Janus. Seine Eltern waren nicht da, und seine Schwestern waren schon wieder in der Küche, wo sie mit viel Gekicher Spaghetti Bolognese kochten. Offenbar hatten sie nichts davon mitbekommen, dass meine Mutter gestorben war, denn sie winkten mir genauso gleichgültig zu wie immer, wenn ich bei Janus war.

Janus schlüpfte in seine Turnschuhe, und wir gingen in den Hof hinunter, wo wir uns in die rostigen Gartenstühle fallen ließen, die, seit wir Kinder waren, auf einem dürftigen Grünstreifen standen. Mein eines Stuhlbein sank dabei zur Hälfte in die feuchte Erde ein, sodass ich in eine absurde Schräglage geriet und mich unwillkürlich an die Lehne klammerte wie ein Schiffbrüchiger. Wortlos tauschten wir die Stühle und Janus zog mit viel Schwung den versunkenen Stuhl wieder aus der Erde, stellte ihn auf den Asphalt und setzte sich darauf. Das war schon fast ein Ritual, wenn ich hier war.

»Und? Warst du jetzt schon wieder bei dir zu Hause?«, fragte Janus.

Es klang irgendwie ein bisschen komisch, so als wolle er es gar nicht wirklich wissen.

»Nein«, sagte ich. »Hab's rausgeschoben. Wegen meinem Vater.«

»Wieso? Glaubst du, er will euch nicht dahaben?«

»Nein. Doch. Keine Ahnung. Ihm geht es schlecht.« Als sei das nicht sowieso klar.

»Aber wenn es einem schlecht geht, will man doch mit denen zusammen sein, die einen verstehen?«, sagte Janus.

Ich hatte das komische Gefühl, dass er eigentlich über etwas ganz anderes sprach als über meinen Vater.

In diesem Moment bog Janus' Mutter um die Ecke. Als sie uns sah, lächelte sie und kam herüber. Ich dachte erst, sie wisse auch nichts, aber als sie vor uns stand, stellte sie ihre beiden Einkaufstaschen ab und legte mir eine Hand auf den Arm.

»Es tut mir sehr leid, was mit deiner Mutter passiert ist«, sagte sie. Das Lächeln war nicht ganz weg, sondern hatte sich in einen Mundwinkel zurückgezogen, wo es kaum merklich darauf wartete, wieder hervorgeholt zu werden. Dieses Viertellächeln hatte etwas Tröstliches. Nicht nur Janus mochte meine Mutter, ich mochte seine auch. Und ich mochte auch ihr Gespür dafür, dass es mehr eigentlich nicht zu sagen gab.

Bevor sie ihre Tüten wieder aufnahm und uns in Ruhe hier sitzen ließ, wuschelte sie Janus mit der rechten Hand durchs Haar, wie Mütter es bei kleinen Kindern machen. Während Janus der Bewegung auswich wie einem Schlag, musste ich schlucken und fühlte einen kleinen Stich irgendwo in der Nähe des Solarplexus. Doch da war sie schon mit ihren Einkäufen ins Haus geschlüpft und die Haustür fiel mit einem leisen Klatschen ins Schloss.

»Was soll das eigentlich mit Lina?«, fragte Janus unvermittelt.

»Was, mit Lina?«

»Na, was wohl. Zettelchen in der Schule. Fotosession an der Kirche.«

Beim letzten Satz hatte er zu nuscheln begonnen und war leise geworden. Ich sah ihn an. Er wurde rot. Solange ich ihn kannte, hatte ich Janus noch nie rot werden sehen. Komischerweise verfärbten sich dabei nur seine Ohren und seine Stirn, als hätte er sich beides verbrannt. Janus hatte Lina und mich beobachtet. Die Frage, ob ich schon daheim gewesen war, war eine Fangfrage gewesen. Das war es, was mich am meisten nervte.

»Lina hat Erfahrung mit dem Tod«, sagte ich darum so cool wie möglich.

»Und ich nicht. Das willst du doch sagen, oder?«, sagte Janus jetzt wieder in seiner normalen Janus-Lautstärke.

»Mann, Janus, das ist doch jetzt albern.«

»Albern«, schnaubte Janus. »Du findest es also albern, wenn du mich einfach stehen lässt, weil du unbedingt nach Hause willst, und dann machst du mit der Eisprinzessin Fotos an der Kirche.«

»Ich habe keine Fotos gemacht«, sagte ich. »Und außerdem weiß ich gar nicht, warum du dich so aufregst.«

»Ich reg mich nicht auf«, sagte Janus, aber als ich zu ihm hinüberschaute, vermied er meinen Blick. Seine Ohren waren immer noch rot bis zum Haaransatz. Janus war eifersüchtig. Er war eifersüchtig auf Lina!

»Janus …«, fing ich an, aber er fiel mir sofort ins Wort.

»Du kannst mir ja eine Postkarte schreiben, wenn du mit Lina in der Welt rumziehst und Reportagen machst. Sie scheint ja genau die Fotografin zu sein, die du dafür brauchst!«

Er stieß sich mit so viel Schwung von der Mauer ab, dass er schwer auf beiden Füßen landete und beinahe das Gleichgewicht verlor. Ohne sich noch einmal umzudrehen, rannte er ins Haus und warf die Türe mit einem dröhnenden Krachen hinter sich zu.

Und ich fragte mich, warum mir das alles in einer einzigen Woche passieren musste: Mas Tod, das erste Mädchen, das sich jemals für mich interessierte, und der erste richtige Streit mit meinem besten Freund.

Krümel hüpfte vor Freude, als ich bei Tante Gerda ankam. Ich hatte ein schlechtes Gewissen, weil ich ihn so lange hatte warten lassen. Für einen Sechsjährigen, dessen Mutter gerade gestorben ist, war Krümel ziemlich guter Dinge. Er war schon seit Stunden bereit, hatte seine Turnschuhe angezogen und sich geweigert, den kleinen Rucksack mit seinen ganzen Sachen wieder abzusetzen.

»Bist du sicher, dass ihr wirklich wieder nach Hause wollt?«, fragte Tante Gerda. Ihr Stirnrunzeln verriet, dass sie dabei Pa vor Augen hatte, der auf dem Flurboden saß und Jazz hörte, statt etwas zu essen. Und ehrlich gesagt hatte ich dasselbe Bild im Kopf.

»Ja, ganz sicher«, sagte ich deshalb mit Nachdruck.

»Wenn es gar nicht geht, wenn … also, ihr ruft mich an, wenn ich euch holen soll, ja?«, sagte Tante Gerda, nun doch entschlossen, unsere Entscheidung zu respektieren.

Und so gingen wir los, nach Hause, zwei Sterntalerkinder, Märchenhalbwaisen, Hand in Hand, wie wir seit Langem nicht gelaufen waren.

Pa wusste Bescheid, dass wir kommen. Er hatte Fischstäbchen gemacht. Als wir hereinkamen, machte er die Musik aus, die im Hintergrund lief. Jazz.

»Ich dachte, ihr habt bestimmt Hunger«, murmelte er. Er hatte Schwierigkeiten, uns in die Augen zu sehen.

Ich hatte keinen Hunger, aber hätte ich welchen gehabt, wäre er mir sicher vergangen. Die Fischstäbchen waren angebrannt und klebten als klumpige schwarzbraune Häufchen auf unseren Tellern. Trotzdem aßen Krümel und ich unsere Portion auf, ohne uns zu beschweren. Pa aß nichts. Er saß kerzengerade neben uns am Tisch, als hätte ihn jemand wie eine Marionette mit einem Faden über dem Tisch festgebunden. Seine Hände hielt er unter dem Tisch im Schoß, und ein kleines Knacken verriet mir, dass er mit den Fingern der einen Hand an denen der anderen zog, wie immer, wenn er nervös war.

»Übermorgen ist die Beerdigung«, sagte Pa in die Stille hinein, die zusammen mit der rauchigen Fischstäbchenluft zwischen uns hing. Wahrscheinlich wollte er einfach irgendetwas sagen.

»Pa, wir müssen dir was sagen.« Mir war eingefallen, dass

wir die Sargbemalung unbedingt vor der Beerdigung beichten sollten. Pa schaute mir einen Moment lang so aufmerksam ins Gesicht, als wolle ich ihm von Mas wundersamer Auferstehung berichten.

»Wir haben den Sarg angemalt«, sagte ich schnell, bevor ich den Mut wieder verlieren konnte.

»Mas Sarg ist jetzt ganz bunt«, fiel mir Krümel ins Wort. »Und er sieht viel schöner aus als vorher.«

Irgendwie erwartete ich wohl, dass mein Vater jetzt panisch werden würde, ärgerlich oder zumindest neugierig, wie wir das denn überhaupt angestellt hatten, aber ich täuschte mich.

»Aha«, sagte er nur, und ich fragte mich langsam, was wir noch anstellen mussten, damit unser Vater wieder registrieren würde, dass es uns gab.

Mein eigenes Bett fühlte sich ungewohnt an, obwohl ich nur drei Nächte auf Tante Gerdas Sofa geschlafen hatte. Ich wachte mehrmals auf. Der Vorhang mit den Krokodilen, ein Relikt aus meiner Kinderzeit, bauschte sich vor dem offenen Fenster und ließ eisige Zugluft ins Zimmer. Obwohl es erst Oktober war, roch es nach Schnee. Irgendwann stand ich auf und schloss das Fenster. Als ich gerade wieder unter die Decke geschlüpft war, öffnete sich die Zimmertür. Im Lichtstrahl, der vom Flur hereinfiel, schlich Pa auf Zehenspitzen herein. Mit dem vagen Gefühl, dass er diese Nacht schon einmal da gewesen war, schloss ich schnell meine Augen und lauschte. Ich hörte, wie Pa näher kam und direkt an meinem

Bett stehen blieb, hörte oder ahnte mehr, wie er sich zu mir herunterbeugte, und dann spürte ich seinen Atem auf meiner Wange wie einen Windhauch, der plötzlich versiegte, als er hörbar die Luft anhielt. Zwei oder drei Atemzüge machte ich, bis sein Atem wieder einsetzte, dann merkte ich, wie er sich von meinem Bett entfernte, und öffnete die Augen. Pa setzte seinen Weg lautlos fort, schlich wie ein Zombie hinüber zu Krümels Bett. Auch dort blieb er stehen, beugte sich hinunter, und ich konnte hören, wie er noch einmal den Atem anhielt und bewegungslos lauschte, bis ein leicht zischender Atemzug von Krümel ihn wieder entspannte und er den Rückzug antrat. Pas Konzentration auf unseren Schlaf stand in krassem Gegensatz zu seiner Lethargie am Tag.

Vielleicht wachte Krümel auf, weil er das spürte. Gleich nachdem mein Vater unser Zimmer verlassen hatte, piepste er mit seiner Nachtstimme: »Ben?«

»Ja«, antwortete ich, fast ohne Ton.

»War Mama gerade hier?« Ich wusste nicht, ob Krümel noch im Halbschlaf war oder hellwach, ob seine Frage sich also wirklich auf Ma bezog oder auf ihren Geist, der auch ihm dauernd erschien.

»Nein«, sagte ich, »Pa war hier.«

»Warum?«

»Ich glaube, er kann nicht schlafen.« Das war zumindest ein Teil der Wahrheit. Dass er vielleicht nie mehr gut schlafen konnte, ohne dauernd zu überprüfen, ob wir noch atmeten, war ein anderer.

»Ach so«, sagte Krümel schlaftrunken. Dann sah ich ihn

als Schemen aus dem Bett steigen. »Kann ich zu dir ins Bett kommen?«

Er wartete die Antwort erst gar nicht ab, sondern schlüpfte direkt unter meine Decke. Es dauerte keine zehn Sekunden, bis sein ruhiger, tiefer Atem verriet, dass er wieder eingeschlafen war. Ich hingegen lag noch lange wach, Krümels spitzigen Ellbogen in meine Hüfte gedrückt, und lauschte in die Nacht.

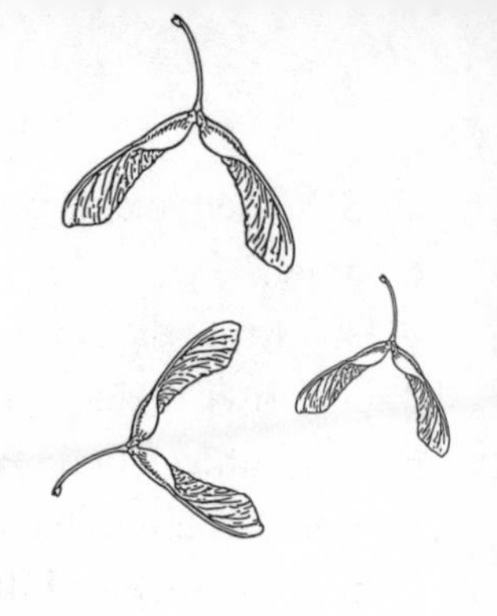

# DANACH

*»Was ist, kommst du jetzt mit ins Wasser?« Janus spritzt mir ein paar Wassertropfen ins Gesicht. Ich öffne meine Augen einen Spaltbreit, blicke ins gleißende Sonnenlicht und auf die glitzernde Wasseroberfläche und schließe sie direkt wieder.*

*»Noch nicht«, murmle ich träge. Ich höre, wie Janus vor mir herumtrampelt, es platscht und gluckert, ein zweiter feiner Sprühregen trifft mich, diesmal am Bauch, bevor Janus sich seufzend wieder hinsetzt.*

*Wir haben unsere Badetücher direkt neben das Schwimmbecken gelegt, wenn ich ein Stück nach unten rutsche, kann ich meine Füße ins Wasser hängen, ohne aufzustehen. Es ist Sommer und die Luft knistert vor Hitze.*

*»Oh, hey«, sagt Janus plötzlich. Seine Stimme schwingt eine halbe Oktave tiefer, sie ist für jemand anderen als mich bestimmt. Ich öffne die Augen und blinzle.*

*Lina steht direkt neben mir, ihre Füße haben höchstens einen Zentimeter vor mir angehalten. Auf ihren Beinen tanzen unzählige winzige Glitzerpunkte vom reflektierenden Wasser. »Darf ich mich da hinsetzen?«, fragt sie und deutet auf meine andere Seite.*

*Ich schlucke. Alles, was in den letzten Monaten passiert ist, all die Male, die ich Lina gesehen habe, können nicht verhindern, dass ich immer noch Ben bin, schüchtern, vorsichtig, abwartend. Ich nicke nur und setze mich auf. Lina behält den Minimalabstand zu mir bei, beinahe berühren sich unsere Knie, aber nur beinahe. Sie zieht ihre Kamera aus der Badetasche.*

*»Uh«, sagt Janus, »hast du die eigentlich immer dabei?«*

*»Nö«, sagt Lina, »in der Schule nicht. Da gibt's nichts zu fotografieren.« Während sie mit Janus spricht, sieht sie die ganze Zeit mich an.*

*»Du hast ziemlich besondere Augen«, sagt sie und schaut mich weiter an. Die Kamera scheint sie ganz vergessen zu haben. »Ist das Gold da in der Mitte?!« Sie lehnt sich ein wenig zu mir herüber, verliert die Balance und landet halb auf mir drauf und dabei fängt sie an zu lachen. Sie lacht und lacht und kann gar nicht mehr aufhören. Kein Wunder, schließlich hat Lina sich dieses alberne Lachen lange Zeit aufgehoben. Und natürlich steckt sie mich an mit diesem aufgehobenen Lachen, sodass auch ich nicht mehr aufhören kann.*

*»Ich geh dann mal schwimmen«, sagt Janus, steht auf und lässt sich einfach rückwärts ins Wasser fallen.*

*Lina und ich werden von Kopf bis Fuß nass. Und da höre ich auf zu lachen, rapple mich auf, nehme Lina an der Hand und wir springen Janus hinterher ins kalte Wasser.*

# FREITAGNACHMITTAG

Den Eierautomaten zeigte mir Lina am Freitag nach Mas Tod. Krümel war nach dem Kindergarten mit Tante Gerda in den Zoo gegangen. Ich wollte nicht mit, sondern war bei Pa geblieben, aber es war schwer auszuhalten, wie er durch die Wohnung schlich, ohne zu sprechen. Wie er eine Schallplatte aus Mas Plattensammlung in die Hand nahm und wieder weglegte, eine andere auflegte und drei Anläufe brauchte, bis er den Tonarm richtig platziert hatte. Mas alten Plattenspieler hatte nie jemand außer ihr selbst anfassen dürfen, auch nicht Pa.

Die langgezogenen Töne des Jazzstückes färbten die Stimmung in der Wohnung schwermütig, während mein Vater sich aufs Sofa fallen ließ und das Gesicht in den Händen vergrub. Mit Krümels Verschwinden war seine notdürftige Beherrschung geschmolzen wie Schnee in der Wüste. Ich wollte Mas Zeitungsberg wegräumen, aber Pa ließ mich nicht.

»Das war ihre letzte«, sagte er. »Ihre letzte Zeitung, verstehst du?«

Natürlich verstand ich das. Er wollte ihre Anwesenheit künstlich verlängern, indem er alles genau so ließ, wie sie es hinterlassen hatte. Als könne er sie dadurch noch ein wenig festhalten.

Und gleichzeitig verstand ich es nicht. Ein Haufen zerknüllter Zeitungsseiten kann nicht wochen- und monatelang auf dem Boden liegen, ohne die zu nerven, die auch noch da wohnen. Ich wünschte, Ma würde auch Pa erscheinen und ihm die Meinung sagen. Anders als in ihrem Auto wollte sie in der Wohnung alles immer aufgeräumt haben. Und gut durchgelüftet. Jetzt roch die ganze Wohnung nach verbrannten Fischstäbchen. Irgendwann hielt ich es nicht mehr aus und auch diesmal hielt mich Pa nicht auf. Vermutlich war es Absicht, dass ich zum Marktplatz lief.

Lina war auch allein unterwegs. Eigentlich hatte ich sie noch nie anders gesehen als allein, bis auf jenen Abend, als sie mit der alten Frau getanzt hatte – dafür trug sie wieder ihre Kamera mit sich herum. Sie grüßte mich mit einem nachlässigen Winken, nicht im Geringsten überrascht, mich zu sehen.

»Willst du mitkommen?«, fragte sie direkt. »Ich fotografiere heute skurrile Dinge.«

»Welche denn zum Beispiel?« Mir fiel spontan die Kapelle mit Mas Sarg ein, der jetzt ein buntes Chaosgemälde war.

»Komm mit, dann siehst du's«, erwiderte Lina.

Der Eierautomat stand am Ende der Straße, die vom Marktplatz in Richtung Felder führte, kurz vor dem Ortsende, und ich kannte ihn nicht. Er sah aus wie eine Mischung aus einem Zigarettenautomaten und einem Hühnerkäfig ohne Hühner.

»Und da kann man echte Eier rauslassen?«

»Wie Kaugummis aus einem Kaugummiautomaten«, bestätigte Lina und zeigte auf die Eier, die oben in dem quadratischen Kasten aufgereiht waren, als hätten dort vorher noch Hühner in einer Reihe gesessen und jedes hätte ein Ei hinterlassen, bevor es wegflatterte. Lina packte behutsam ihre Kamera aus und änderte einige Einstellungen, bevor sie ein paar Bilder schoss.

»Werden die nicht schlecht?«, fragte ich skeptisch. »Überhaupt, wer holt denn seine Eier aus so einer Eiermaschine irgendwo am Stadtrand?«

»Ich!«, sagte Lina entschlossen und kramte Kleingeld hervor. »Nicht alles, was du nicht kennst, ist schlecht. Es gibt bestimmt noch ganz andere komische Maschinen auf der Welt, die du dir nicht mal vorstellen kannst.«

Sie steckte ein Zweieurostück in den Eierautomaten. Es ratterte kurz und mit einem Ruck erschien unten in der Klappe eine fertig gefüllte Schachtel.

»Tatatataaa!«, rief Lina, sprang auf das kleine Mäuerchen neben dem Automaten und öffnete die Schachtel, um die Eier zu präsentieren.

»Mach du mal ein Bild von mir!« Sie drückte mir die Kamera in die Hand.

Ich balancierte den schweren Apparat etwas hilflos in der Hand, sah durch den Sucher, stellte scharf und machte ein Bild von Lina, die Schachtel stolz in der rechten Hand. Ihre linke Kopfseite glitzerte in der Nachmittagssonne. Anmutig lief sie auf der kleinen Mauer entlang und sprang am anderen Ende ab wie von einem Schwebebalken. Mit dem letzten

Foto erwischte ich nur noch ihre Haarspitzen, die im Sprung hochflogen, und eine Hälfte der Eierschachtel vor einem Stück blauem Himmel.

»Wer war eigentlich die Frau, mit der du getanzt hast?«, fragte ich spontan.

Lina starrte mich kurz an.

»Das war Tango«, sagte sie dann, Trotz in der Stimme. Vielleicht war sie sauer, dass ich sie beobachtet hatte, dass ich gesehen hatte, wie sie gelacht hatte. Weil sie das sonst nie tat. Dabei hatte sie sich in den letzten Tagen viel öfter in mein Privatleben eingemischt als ich in ihres. Ich wartete ab und sah sie dabei von der Seite an. Als sie zurückschaute, sah ich schnell weg.

»Das war Frau Kepler«, sagte Lina unvermittelt. »Ich kenne sie aus dem Krankenhaus.«

Ihr Tonfall hatte etwas Bedrohliches, so als bedeute ihr letztes Wort eine Wende, als käme jetzt etwas Neues in unser Kennenlernen. Ich wartete ab, während Lina mich fixierte und dabei offensichtlich nachdachte, wie es weitergehen sollte. »Komm«, sagte sie dann.

Ich musste mich beeilen, um mit ihr Schritt zu halten, vorbei am Eierautomaten und zur nächsten Straßenbahnhaltestelle. In der Bahn erst fiel mir auf, wie blass sie plötzlich war, als sie mir gegenübersaß und die Eierschachtel auf ihren Knien festhielt wie eine Schmuckschatulle. Ich hatte immer noch ihre Kamera in der Hand. Im Bauch hatte ich dieses unklare Gefühl, das man hat, wenn man ahnt, dass gleich irgendetwas passieren wird, und zwar nichts Gutes. Wie der

Science-Fiction-Held vor seiner ersten Begegnung mit dem Alien, von dem er aber noch nicht weiß, wie er aussieht.

Wir stiegen an der Haltestelle des Krankenhauses aus. Lina lief ohne Erklärungen weiter voraus und zielstrebig in das nächste Gebäude hinein. Ich rechnete damit, dass sie mich jetzt zu der kleinen alten Frau bringen würde, mit der sie getanzt hatte. An der Art, wie sie den Eingang passierte und dem Pförtner zuwinkte, bevor sie in großen Schritten das weite, helle Treppenhaus ins erste Stockwerk hinaufstieg, merkte man, dass Lina oft hier sein musste. Sehr oft.

Vor der zweiten Tür im ersten Stock war ihr Dauerlauf plötzlich zu Ende. Sie hielt an und drehte sich endlich zu mir um, um mich kurz zu mustern, irgendwie so, als müsse sie sich vergewissern, dass ich mitkommen wolle. Dabei wusste ich doch immer noch nicht, worum es ging. Dann drückte sie die Türklinke herunter.

Das Zimmer war klein, durch ein großes Fenster fiel das Spätnachmittagslicht auf das Bett, das als einziges Möbelstück darin stand. Im Bett lag der Junge, den ich auf dem Foto gesehen hatte. Seine Augen waren geschlossen. Eine Unmenge von vielfarbigen Schläuchen und Kabeln war um sein Gesicht ausgebreitet wie die zahllosen Fühler eines überdimensionalen Insekts.

»Das ist mein Bruder Julian«, sagte Lina. »Er liegt im Koma.«

Die Stille nach ihrem zweiten Satz stand im Raum wie Rauch. Nur dass es keine echte Stille war. Es waren Hunderte kleiner Geräusche im Raum, Piepsen, Zischen, minimales Klappern, alles sehr gleichmäßig, rhythmisch. Herzschrittmacher, dachte ich. Und dass Julians Herz vermutlich ebenso nutzlos war wie das meiner Mutter. Ich sah und hörte wieder alles. Rufen, Pumpen, Klackern, Stille. Ma am Boden, mit ausgebreiteten roten Haaren, darüber ein Sanitäter. Ich versuchte, mir nichts anmerken zu lassen, versuchte, langsamer zu atmen. Julian atmete gar nicht. Ein kleiner Kasten atmete für ihn. Ja, es gibt tatsächlich viele komische Maschinen auf der Welt, die ich mir nicht vorstellen kann, dachte ich. Und fragte mich, wie Lina das Bild hatte machen können, das ich auf ihrem Display gesehen hatte. Darauf hatte Julian fast ausgesehen, als schlafe er. Kein einziger Schlauch war darauf zu sehen.

»Er hatte vor eineinhalb Jahren einen Unfall mit dem Mofa«, sprach Lina weiter, als hätte sie nicht diese Pause gemacht, die von all den mechanischen Geräuschen so gnadenlos gefüllt worden war.

»Wacht er wieder auf?«, fragte ich. Meine Stimme klang heiser.

»Es gibt eine Chance von unter einem Prozent«, sagte Lina mit fester, emotionsloser Stimme. »Alle warten auf ein Anzeichen dafür, dass er stirbt. Nur ich nicht.« Was sie nicht sagte, war, ob sie auf ein Anzeichen dafür wartete, dass er aufwachte. Oder einfach auf gar nichts. Wir schwiegen eine Weile. Dann sprach Lina weiter, aber leiser und schneller und ein wenig zitternd.

»Das war so beschissen alles, die Ärzte, die einen nicht anschauen können, die Umlagerung von der Intensivstation hierher, das Hoffen die ganze Zeit und die Verzweiflung meiner Eltern.« Sie legte ihre Hand auf die Bettdecke, dorthin, wo vielleicht Julians Brust war. »Ich dachte, es hört nie auf, dieses heimliche Gestarre von außen und die tausend Fragen von innen …«

»Und, hat es dann doch aufgehört?«

»Ja und nein. Das Starren ja. Die Fragen nein. Ich frag mich hunderttausend Dinge, wenn ich ihn sehe. Und auch, wenn ich ihn nicht sehe.«

Ich sah Julian an. Seine verkabelten Hände lagen dünn und zerbrechlich neben seinem Körper, der sich so unmerklich unter der Bettdecke abzeichnete, als wäre da gar nichts. Ein körperloser Geist, ein geistloser Körper, nichts mehr, was Julian mit Linas und meiner Wirklichkeit verband.

»Ich komme jeden Tag und singe ihm ein Lied.«

Lina holte Luft und sang. Ihre Stimme war klar wie Glas, irgendwie genauso hell wie sie selbst, als sie dieses melancholische Lied auf Englisch sang, das ich noch nie gehört hatte. Ich wusste nicht, wo ich hinsehen sollte, am liebsten hätte ich Lina angesehen, aber ich traute mich nicht. Meine Finger hielten sich an den Dingen in meiner Hosentasche fest: Stein, Knopf, Haarklammer, Würfel.

Gerne würde ich jetzt schreiben, Julian reagierte auf Linas Gesang, seine Gesichtszüge entspannten sich oder irgend so etwas, was man eben so sagt, weil es beruhigend klingt, tröstlich. Aber es wäre nicht die Wahrheit. Er lag genauso da wie vorher und bewegte sich keinen Millimeter. Ich hatte das Gefühl, keine Luft mehr zu bekommen. Und plötzlich war ich froh, dass Ma tot war. Dass sie nicht so war wie Julian, so halb tot, untot, nicht-mehr-da-und-doch-nicht-weg, und gleichzeitig war ich erschrocken und schämte mich für meinen Gedanken, ich weiß nur nicht, ob vor Lina oder vor mir selbst.

Später standen wir auf dem Balkon am Ende des Krankenhausflurs. Die Luft war eisig, zum ersten Mal sah man den Atem vor den Mündern als kleine Wolken, die sich hell gegen den grauen Himmel abhoben, vor den sich, wie im Zeitraffer, dunkle Wolken schoben. Die Balustrade, an der wir lehnten, war so kalt an meinen Fingern, dass sie mich an die Mutprobe erinnerte, die Janus und ich früher gemacht hatten: Wer am längsten seine ausgestreckte Zunge an den gefrorenen Laternenmast hält. Ich hatte kein einziges Mal gewonnen.

»Wie du siehst«, sagte Lina, »bin ich wirklich Expertin für den Tod – ohne dass ich ihn bisher richtig erlebt hätte.«

Ich wusste nicht, was ich sagen sollte.

»Ich kenne hundertundeine Tatsache über den Tod«, sagte Lina ironisch.

Vielleicht hatte sie sich auf diesen Vortrag vorbereitet, seit sie mich das erste Mal in der Pause angesprochen hatte. Vielleicht war es einfach das, was sie die ganze Zeit beschäftigte und von allen anderen trennte.

»Die Wahrscheinlichkeit, an einer Herzkrankheit zu sterben, ist ungefähr zehnmal so hoch wie die, an einem Unfall zu sterben«, fing sie an, und ich hätte gerne gewusst, ob sie mich beneidete oder bemitleidete, weil meine Mutter tot war.

»Siebzig Prozent der Selbstmörder sind Männer«, fuhr sie

fort. »Und ungefähr ein Drittel der Leute in Deutschland stirbt zu Hause.«

Eine einzelne Schneeflocke trudelte plötzlich aus dem Himmel und fiel genau zwischen uns auf den Boden.

»Der Unterschied zwischen Mord und Totschlag ist der Vorsatz.«

Mehr Schneeflocken fielen, sie setzten sich auf meine Hände, auf mein Gesicht. Ich sah Lina von der Seite an. Einzelne Flocken saßen auf ihrem Haar wie kleine Perlen. Schmolzen dann hinein, hell in hell. Ich konnte nicht wegsehen.

»Die Inkas glauben, dass sie von den Sternen abstammen und nach ihrem Tod auf den Flügeln eines Kondors über die Milchstraße zu den Sternen zurückkehren.«

Tränen liefen über Linas Wangen und tropften von ihrem Kinn auf ihre Jacke. Vielleicht konnten aus Tränen Schneeflocken werden, wenn sie blitzschnell in der Kälte kristallisierten?

»Und wusstest du, dass Nacktschnecken ihre toten Freunde auffressen? Nichts bleibt übrig. Gar nichts.«

Ich rückte näher an Lina heran, ein kleines Stück nur, sodass unsere Arme sich leicht berührten. Sie zog ihren nicht zurück. Es war unendlich still auf diesem Krankenhausbalkon, nur von Weitem hörte man in langen Abständen Autos auf der nassen Straße fahren.

»Hundertundeine Tatsache war das aber noch nicht«, sagte ich irgendwann vorsichtig.

Ich spürte Linas Arm durch meine Jacke hindurch an

meinem, als wäre das die einzige warme Stelle an mir. Erst nach einigen Sekunden realisierte ich, dass Ma an meiner anderen Seite stand, ohne dass diese deshalb wärmer wurde. So stand ich sekundenlang regungslos zwischen dem Geist meiner Mutter und Lina, die den Atem angehalten hatte. Als ich mich kurz zu Ma umdrehte, sah sie mich ruhig und ernst an, bevor sie sich vorbeugte und mich mit ihren zwinkernden Wimpern an der Wange berührte wie früher, als ich ein Kind war. Ein Schmetterlingskuss. Immer hatte ich mich davon trösten lassen. Nie hatte ich sie den Schmetterlingskuss jemand anderem geben sehen, er war unser Geheimnis. Ohne nachzudenken, drehte ich mich zu Lina um und gab ihr den Schmetterlingskuss weiter. Meine Wimpern wurden nass dabei. Lina bewegte sich nicht, aber sie fing wieder an zu atmen.

»Ich gehe nach Hause«, sagte ich leise zu ihrem Profil. Und dann fügte ich hinzu: »Danke, dass du mich mitgenommen hast.«

Lina bewegte sich nicht, als ich mich abwandte und langsam durch die Balkontür zurück in den Krankenhausflur ging, vorbei am Schwesternzimmer, wo zwei Krankenschwestern mit müden Gesichtern Tee tranken, vorbei an Julians Zimmer und durch den Haupteingang, zur Straßenbahnhaltestelle und nach Hause. Nach Hause zu meinem kleinen Bruder Karl.

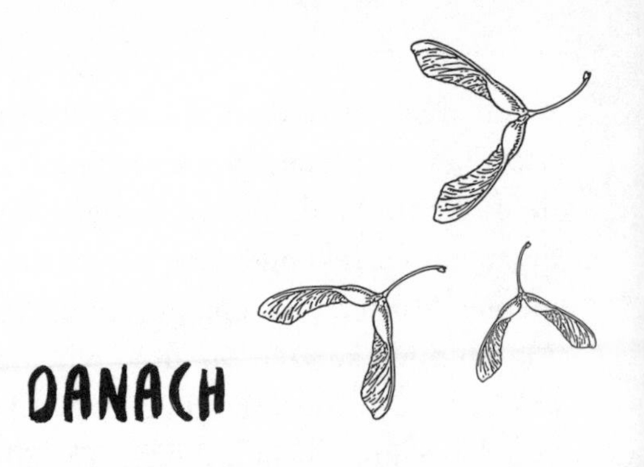

# DANACH

*Ich stehe mindestens fünf Minuten da und schaue durch die Milchglasscheibe in das riesenhafte Gewächshaus hinein. Drinnen kann ich in der ersten Reihe die mittelgroßen Topfpflanzen erkennen, typische Wohnzimmerpflanzen: Benjamin, Pachira, Olivenbäumchen. Dahinter die exotischen Bäume, um die man sich gut kümmern muss, damit sie überleben: Zitronenbäume, Feigen, verschiedene Sorten von Palmen. In der dritten Reihe erahne ich nur dünne Stämme, vielleicht sind das Obstbaumzöglinge, schon recht hoch gewachsen.*

*Ich kann mich noch nicht entschließen, in das Gewächshaus hineinzugehen, und bleibe unschlüssig davor stehen. Zu meinen Füßen rankt Efeu am Mauerwerk hoch. Der hält sich an keinerlei Pflanzregeln, sondern kommt und wächst, wo und wie er will. Efeu kann zwanzig Meter in die Höhe ranken, Häuser, Bäume und Mauern umhüllen wie eine grüne Decke. Ich zupfe unwillkürlich an einem Blatt und die Ranke löst sich von der Mauer. Ich knipse das Blatt ab und stecke es in die Tasche. Meine Botanisiertrommel hat jetzt Karl im Dauergebrauch, aber mit dem Blättersammeln habe ich nie aufgehört, es passiert mir ganz automatisch.*

*Drinnen streift eine junge Frau mit blondem Pferdeschwanz durch die Reihen und bleibt hier und dort stehen. Durch die Milchglasscheibe sieht es aus, als würde sie sich ruckartig hüpfend fortbewegen, ihr Pferdeschwanz zuckt immer mit ein wenig Verspätung hinter ihr her. Vielleicht entfernt sie hier und dort ein altes Blatt. Als sie auf meiner Höhe angekommen ist, entdeckt sie mich hinter der Scheibe und schaut mich fragend an, und da beschließe ich, doch endlich hineinzugehen.*

*Im Gewächshaus der Baumschule ist es kühler, als ich erwartet habe. Aber die Luft ist genauso feucht, wie es sich für ein Gewächshaus gehört. Von hier aus sehe ich, dass die Frau in jeden Topf ihren Zeigefinger hineinsteckt, um die Feuchtigkeit der Erde zu prüfen. Sie lässt sich Zeit und prüft konsequent weiter, bis sie bei mir ankommt. Ich gehe ihr durch die Reihe mit den Zitronenbäumen entgegen. Jeder Zitronenbaum hat mindestens vier Früchte, Zitronen, die in verschiedenen Größen und Reifegraden an den Ästen hängen.*

*»Suchst du was Bestimmtes?« Ohne Milchglasscheibe sieht die Frau älter aus. Sie lächelt nicht. Ein wenig erinnert sie mich an Lina, mit ihrer Helligkeit und ihrem ernsten Gesicht. Weil ich daran denken muss, wie Lina mir Mut gemacht hat, hierherzukommen, lächle dafür ich.*

*»Die Zitronenbäume sind sicher schwer über den Winter zu kriegen«, sage ich. Jetzt sieht die Frau mich neugierig an.*

*»Kennst du dich mit Zitronenbäumen aus?«*

*Ich sage nicht: Meine Mutter ist letzten Oktober gestorben, aber vorher hat sie mir alles über Bäume beigebracht.*

*Ich sage nicht einmal: Ich habe die Bäumeleidenschaft von meiner Mutter geerbt.*

*»Ja«, sage ich einfach und lächle der Frau weiter ins Gesicht, und jetzt lächelt sie zurück.*

*»Möchtest du einen kaufen?«*

*Irgendwo ruft jemand krächzend »Hallo! Hallo!«, und ich zucke zusammen.*

*»Nicht erschrecken«, sagt die Frau, »das ist nur Bruno, unser Ara.« In meiner Hosentasche schließt sich meine linke Hand um das Efeublatt.*

*»Ich würde nach den Sommerferien gerne ein Praktikum hier in der Baumschule machen«, sage ich.*

# FREITAGABEND / SAMSTAGMORGEN

Als ich nach Hause kam, lief wieder Musik, aber diesmal kein Jazz. Ein langsames Klavierspiel begleitete einen Sänger, der mehr sprach als sang.

»Komm, großer schwarzer Vogel, komm zu mir! Spann deine weiten, sanften Flügel aus und leg 's auf meine Fieberaugen!«, hörte ich als Willkommensgruß.

Pa saß auf dem Boden vor dem Wohnzimmerfenster und schichtete mit der einen Hand gedankenverloren Mas Zeitungskugeln zu einer Pyramide, die immer wieder einstürzte, in der anderen hielt er die Schallplattenhülle. Ich ging zu ihm hinüber und nahm ihm die Plattenhülle aus der Hand. *Dunkelgraue Lieder* stand darauf, daneben ein Mann, der grimmig schaute und Ludwig Hirsch hieß. Ich nahm Pa auch die zerknüllten Zeitungsseiten weg, öffnete das Fenster und warf eine Papierkugel nach der anderen hinaus. Der Wind trug sie auf die andere Straßenseite, wo sie auf dem Gehsteig ein Stückchen weiterhüpften und dabei aussahen wie verkrüppelte Tauben.

»Ja, großer schwarzer Vogel, endlich! Wie lautlos du fliegst!«, rezitierte der Sänger bedrohlich. Ma hatte also nicht nur Jazz gehört. Und sie hatte den großen schwarzen Vogel gar nicht selbst erfunden. Mit schnellen Schritten ging ich zum Schallplattenspieler hinüber und riss den Tonarm so heftig von der Platte, dass es quietschte.

Pa zeigte keine Reaktion, er blieb einfach auf dem Boden sitzen und schien den kalten Luftstrom aus dem offenen Fenster nicht einmal zu bemerken.

Ich wollte ihn schütteln und hochziehen, ihn anschreien, aber mir fiel nichts ein, was ich hätte schreien können, und deshalb rannte ich aus dem Wohnzimmer und in die Küche und begann wütend, das aufgetürmte schmutzige Geschirr zu spülen, kratzte wild an den Fischstäbchenresten herum und warf dann einfach alle drei Teller samt der Pfanne in den Mülleimer. Ich fegte allen Papierkram, der auf dem Esstisch ausgebreitet war, in die oberste Küchenschublade, dann packte ich den Staubsauger und begann, in der ganzen Wohnung staubzusaugen. Ein Zimmer nach dem anderen durchpflügte ich mit dem Staubsauger, als wolle ich eine Weltmeisterschaft im Schnellstaubsaugen gewinnen, und ich stieß dabei Stühle um und rammte das Bein des Esstischs, wo eine Schramme zurückblieb, ich saugte Wollmäuse und Staubratten ein, saugte den Straßendreck ein, den die Sanitäter, Ärzte, Bestattungsunternehmer hereingeschleppt hatten, saugte alles weg, was sich in den letzten Tagen an Fremdem und Falschem in unserer Wohnung angesammelt hatte, und dazu viele, viele lange rote Haare.

Als ich ins Wohnzimmer kam, saugte ich um meinen Vater herum, wie Tante Gerda um Krümel, aber ich machte es nicht vorsichtig wie sie, sondern stieß absichtlich und heftig an Pas Beine, die lethargisch nachgaben. Irgendwo hatte er eine letzte zerknüllte Zeitungsseite gefunden, die er behutsam in beiden Händen hielt wie ein verletztes Vogeljunges. Und dann zog ich den Stecker aus der Steckdose und fing doch noch an zu schreien, denn plötzlich waren mir die richtigen Worte egal.

»Verdammt, Pa«, schrie ich. »Ma ist tot!« Ich riss ihm die letzte Papierkugel aus der Hand, faltete sie auf und hielt sie ihm ins Gesicht: »Da, schau nach, klebt vielleicht noch ein Haar von ihr dran? Und wenn schon, es kann nicht sprechen. Keine bescheuerte Zeitungsseite der Welt macht sie wieder lebendig! Sie ist tot, tot, tot!« Ich wusste, dass ich grausam war, und vielleicht wollte ich genau das. »Aber du bist nicht tot und Krümel und ich sind auch nicht tot!«

Es war das erste Mal in meinem Leben, dass ich meinen Vater anschrie – es war das allererste Mal, dass ich überhaupt jemanden anschrie. Ich fühlte mich gut dabei, oder jedenfalls besser als vorher, und mit einem Mal verstand ich, warum Ma tobte, wenn sie sich ärgerte, warum sie ihrer Wut freien Lauf ließ, und auch, warum sie danach so schnell wieder lachen konnte. Vielleicht hatte Ma mir ihr Talent, wütend zu sein, erst mit ihrem Tod weitergegeben. Und vielleicht hatte Herr Gneist doch recht, als er sagte, ich hätte Mas Temperament geerbt. Ich hätte womöglich noch weiter gebrüllt, wenn nicht in diesem Moment die Wohnungstür aufgegangen wäre.

»Weißt du, wie Tiger begraben werden?«, rief Krümel mir fröhlich entgegen.

Seine Wangen waren rot von der kalten Herbstluft draußen, und seine Frage stand merkwürdig normal im Raum, der noch von meinem Geschrei vibrierte. Dort, wo meine Wut gerade meinen ganzen Körper ausgefüllt hatte, machte sich von einem Moment auf den anderen eine unbändige Freude breit, darüber, dass es Krümel gab. Ich wollte ihn festhalten und spüren, wie lebendig er sich anfühlte. Natürlich wand er sich wie ein Regenwurm aus meiner Umklammerung.

»Die Zootiere werden alle auf einem Zootierfriedhof begraben!«, verkündete er. »Und dort gibt es eine Extraabteilung für Tiger.«

Ich konnte mir beinahe das Gesicht des Tierpflegers vorstellen, dem Krümel diese Information entlockt hatte. Ob die Tiere auch Särge bekamen? Wie groß wohl ein Elefantensarg war? Lina mit ihrer Todesfaktensammlung hätte es vielleicht gewusst. Vielleicht würde ich sie fragen. Vielleicht würde ich ihr auch einfach Krümel vorstellen und der konnte sie selbst fragen.

»Wir kommen wieder mit zu dir«, sagte ich knapp zu Tante Gerda, die hinter meinem Bruder durch die Tür gekommen war. Sie zog eine Augenbraue hoch, sagte aber nichts.

»Wir sehen uns morgen bei der Beerdigung!«, rief ich Pa zu, der endlich vom Boden aufgestanden war und jetzt hilflos mitten im frisch gesaugten Wohnzimmer stand. Pa antwortete nicht. Er tat mir jetzt nur noch leid. Genau wie sonst Ma war ich meine Wut auf schnelle Weise losgeworden.

Am Samstagmorgen drang graues Licht durch die Fenster. Es nieselte. Krümel hatte diesmal bei Tante Gerda im Bett geschlafen und stürmte um halb acht durch die Wohnzimmertür. Er hatte seinen roten Lieblingspulli an, dazu eine gelbe Hose. Ich sah ihn kurz an und wollte etwas sagen, aber dann entschied ich mich anders und wühlte aus den Sachen, die ich bei Tante Gerda hatte, das Bunteste heraus, was ich finden konnte: eine dunkelgrüne Hose und einen hellblauen Pullover, darunter drei Unterhemden, damit ich nicht den schwarzen Anorak anziehen musste. So würden Krümel und ich bestens zu unserem Sargkunstwerk passen. Tante Gerda hob beide Daumen, als sie uns sah.

Wir drei kamen als Letzte auf dem Friedhof an, nur wenige Minuten bevor die Beerdigung losgehen sollte. Tante Gerda und ich hatten entschieden, dass die Beerdigung draußen am Grab stattfinden sollte, unter der Birke, und der Bestattungsunternehmer, der sich von uns durch nichts mehr überraschen lassen wollte, hatte es seufzend zur Kenntnis genommen, schließlich verzichteten wir sogar auf den obligatorischen Kaffee nach der Beerdigung.

So war nun der ganze Friedhof voller Menschen, die Ma die letzte Ehre erweisen wollten. Es waren unvorstellbar viele Leute und die meisten davon hatte ich noch nie gesehen. Oder ich erkannte sie nicht wieder, weil sie alle Schwarz trugen. Alle bis auf Krümel und mich.

Als die Leute uns entdeckten, wichen sie murmelnd zur Seite, und wir mussten durch das ganze Spalier aus Menschen gehen, vorüber an Augen, die uns traurig, erschrocken oder mitleidig folgten bis zu Mas Grabstelle. Ich nahm Krümels Hand, und er drückte sie dreimal kurz und fest, wie ein Morse-Durchhalte-Code. Tante Gerda, die ganz nah hinter uns ging, legte jedem von uns eine Hand auf die Schulter. Ich bemühte mich, über die Köpfe der Trauergäste hinwegzusehen, nach oben, weit hinauf in die Bäume. Zum ersten Mal fiel mir dabei der schiefe Apfelbaum auf, der neben der Kapelle stand. Er trug grün-rote große Äpfel. Boskop. Genau solche, wie Ma sie am allerliebsten gegessen hatte.

Der Pfarrer stand im Nieselregen am Ende des Spaliers, neben ihm Pa. Er trug seinen schwarzen Mantel und stand heute aufrecht. Seine Augen waren rot gerändert.

Direkt neben der Birke war ein Grab ausgehoben. Als die Glocke an der kleinen Kapelle zu läuten begann, öffnete sich jammernd die Kapellentür, und das Ende des Sarges schob sich langsam heraus. Zwei kleine Männer in schwarzen Anzügen trugen ihn. Seggler und Koch. Beiden standen trotz der Kälte die Schweißperlen auf der Stirn. Fast hätte ich wieder zu lachen begonnen. Die Männer taten so, als sei es ein ganz normaler Sarg, den sie trugen, aber ich konnte spüren, wie die gewaltige schwarze Menschenmenge kollektiv einmal tief Luft holte, als sie den Sarg sah. Vielfarbig leuchtete er gegen das trübe Herbstlicht an. Ich sah zu Krümel hinüber. Er explodierte beinahe vor Stolz. Tante Gerda sah erst zu Krümel und dann zu mir und lächelte, ein winziges bisschen nur.

Seggler und Koch stellten den Sarg neben dem Grab ab, und mir fiel der überdimensionale Gettoblaster auf, der genau dort stand, wo Ma sich an die Birke gelehnt hatte. Die Glocken der Kapelle läuteten weiter so scheppernd und schräg, dass Mas Zehennägel sich gekräuselt hätten. Und dann redete der Pfarrer über Ma. Wahrscheinlich verpasste ich das meiste, so wie man, wenn man am Grab seiner Mutter steht, von den Reden eben das meiste verpasst, aber manches bekam ich doch mit. Dass er über ihre Begeisterungsfähigkeit und über ihre Kreativität sprach, darüber, wie musikalisch sie war, und darüber, dass sie uns »eine schöne Kindheit ermöglicht hatte«. Ich fragte mich, woher er das alles wissen wollte, denn Ma war nie in die Kirche gegangen, und er war nie bei uns zu Hause gewesen. Und schließlich sagte er, dass Ma immer fröhlich gewesen sei.

»Sie war nicht immer fröhlich«, murmelte Pa hinter mir, und dann wiederholte er es etwas lauter, sodass der Pfarrer und die näher stehenden Trauergäste es hören konnten: »Sie war nicht immer fröhlich. Manchmal war sie traurig, und manchmal war sie genervt, und oft war sie so wütend, dass es kaum auszuhalten war.« Pa wurde immer lauter, während er sprach. »Und manchmal war sie die Pest!«

Der Pfarrer zwinkerte irritiert.

»Ja, die Pest«, wiederholte Pa. »Sie war echt. Sie war der echteste Mensch, den ich kenne, und der lebendigste.«

Ich konnte sehen, dass seine Worte viele der Trauergäste aus ihrer stummen Reglosigkeit katapultierten. Manche starrten ihn an, einige schüttelten den Kopf. Viele begannen einfach zu weinen. Taschentücher wurden aus Hosen und Jacken gezogen.

»Wenn jemand aus unserer Mitte gerissen wird, dessen Zeit noch nicht gekommen ist, ist es schwer, das Schicksal anzunehmen«, setzte der Pfarrer noch einmal an und versuchte, seinen ruhigen Ton wiederzufinden.

»Schicksal!«, unterbrach ihn Pa erneut. »Was ist das für ein Scheißschicksal, wenn man einfach über Nacht stirbt, mit 45? Wenn man Kinder hat, von denen eins noch nicht mal in die Schule geht? Sie wollte nicht sterben!«

Er schrie nun fast, jeder, der auf dem Friedhof stand, konnte ihn hören. Alle Augen waren auf Krümel und mich gerichtet, aber nicht für lange, denn Pa schnaubte noch einmal, rempelte den Pfarrer an, der ihm im Weg stand, und rannte Richtung Friedhofstor davon wie ein Besessener. Alle Trauergäste sahen ihm hinterher.

Ich schielte zum Pfarrer, dessen Wangen sich rot gefärbt hatten. Ein großer, dünner Mann löste sich aus der Menschenmenge und drückte auf einen Knopf am Gettoblaster. In die betretene Stille hinein erklang der erste langgezogene Ton von *Strange Fruit*, und ich spürte, wie jetzt Tante Gerda meine Hand nahm und sie fest drückte.

Während Mas Lieblingslied spielte, ließen Seggler und Koch Mas Sarg in das Grab hinunter, und der Reihe nach verschwanden Sonne, Mond und Sterne im Dunkel. Billie Holiday sang ungestört wie sechs Tage zuvor, und trotzdem klang es jetzt anders, hohler, anonymer. Es waren zu viele Leute da, die hier nichts zu suchen hatten. Keiner von uns dreien weinte.

»Auf jeden Fall bestimmt schöner als ein Tigerbegräbnis«, kommentierte Krümel sachlich.

In diesem Moment schwebten fünf Luftballons hinter der Friedhofsmauer hervor, wie ein zur Musik passendes Ballett. Lina, dachte ich, das muss Lina sein. Dann fiel mir ein, dass ich Lina gar nichts von Mas Vorliebe für alles Bunte erzählt hatte, und auch nichts vom angemalten Sarg. Mit den Augen suchte ich die Mauer ab. Dann entdeckte ich ihn. Janus.

Er hatte sich hinter die Steinmauer geduckt, sodass nur die obere Hälfte seines dunkelblonden Kopfes hervorschaute, und als unsere Blicke sich trafen, winkte er mir erst zu, dann verbarg er sein Gesicht in den Händen und schüttelte dabei seinen Kopf. Ich verstand: Das war seine Entschuldigung, und ich musste grinsen, ich konnte nicht anders.

Die Ballons waren schon weit über uns in den grauen Himmel aufgestiegen, aber die Farben konnte man immer noch erkennen: Rot, Türkis, Gelb, Orange und Himmelblau. Ich nahm all meine Fundstücke aus der linken Hosentasche und legte sie zwischen die Kränze neben Mas Grab.

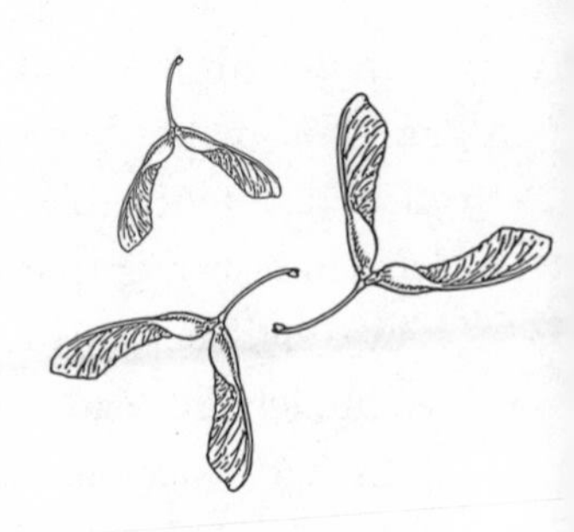

# DANACH

*Die allerersten bunten Blätter fallen schräg aus einem Himmel, der aussieht wie aus dickem weißem Karton. Die meisten sind Buchenblätter, rotbraun und weich, aber es sind auch Lindenblätter dabei, die trocken knistern, und ein paar Ahornblätter, feuerrot gezackt. Es ist ungewöhnlich kalt für Mitte September.*

*Heute laufe ich nicht weg und Lina auch nicht. Es ist elf Monate her, dass wir das erste Mal hier waren. Inzwischen kennt der Pförtner auch mich, und ich habe mich beinahe an Julians Gesicht gewöhnt, an die Kabel und Schläuche, an die Stille, die keine ist. An Linas Lied. Ich gehe inzwischen bestimmt einmal in der Woche mit. Meistens stehen wir noch eine Weile auf dem Balkon, bevor ich Lina alleine lasse. Ich habe mich an ihre Helligkeit gewöhnt, an ihre Ernsthaftigkeit, ein bisschen sogar an ihre Stimmungsschwankungen.*

*Die Blätter sammeln sich um unsere Füße, ein paar landen erst auf unseren Schultern und Mützen, bevor sie weitersegeln.*

*»Ich glaube, er stirbt«, sagt Lina plötzlich.*

*»Was?«*

*»Julian. Ich glaube jetzt auch, dass er stirbt.«*

*»Wieso?«, frage ich. »Wieso glaubst du es jetzt plötzlich?«*

*»Ich weiß nicht«, sagt Lina und schaut mich an. Sie lächelt. »Vielleicht, weil du jetzt da bist.«*

*Ich spüre, wie ich rot werde, und hoffe, dass sie es nicht bemerkt. Mir fällt nichts ein, was ich antworten könnte, also lasse ich es einfach. Ich nehme eines der roten Ahornblätter vom Balkongeländer und stecke es ein.*

*Lina zieht die Schultern hoch und schüttelt sich. »Wollen wir noch in den Wald?«, fragt sie. Ich schaue sie an. Beide zittern wir ein bisschen von der Kälte. Ich muss lachen und nicke gleichzeitig. Lina nimmt meine Hand, ihre ist eisig. Hand in Hand gehen wir durch die Balkontür und über den Flur und durch das Krankenhaustor und durch die fallenden Blätter in Richtung Wald.*

# SAMSTAGNACHMITTAG

Der Pfarrer war bereits verschwunden, als Tante Gerda die Trauergäste mit einem Kopfnicken entließ. Eine kleine Gruppe blieb noch länger am Grab stehen, dicht zusammengerückt wie eine Herde erschrockener Schafe. Der Mann, der den Gettoblaster bedient hatte, war auch dabei. Man sah sofort, dass es Leute vom Theater sein mussten. Sie waren alle auffällig dünn, mit Gesichtern, die irgendwie aussahen, als seien sie große Gefühle gewohnt. Hochgeschwungene Augenbrauen, große Münder, spitze Nasen, keine Ahnung, was davon es war. Meine Mutter hatte gut zu ihnen gepasst. Die meisten von ihnen weinten leise, und bevor sie gingen, warf jeder von ihnen eine rote Rose ins Grab. Ich sah ihnen dabei zu und dachte an Mas Laub-Bühnenbild. Ich roch das Laub von damals und das Laub von heute und dachte daran, dass diesmal Ma selbst unter dem Laub lag wie damals die Schauspieler, für die sie sich dieses Bühnenbild ausgedacht hatte, und das Laub raschelte genauso märchenhaft wie damals und roch und roch und roch.

Als alle weg waren, zog Tante Gerda eine Dose Pustefix aus der Tasche. Krümel sagte nichts. Niemand sagte etwas.

Krümel stand minutenlang neben der Birke und pustete einen Schwarm Seifenblasen nach dem anderen über das offene Grab hinweg. Irgendwo im Hintergrund lungerten zwei junge Männer in Baseballkappen auf ihre Spaten gestützt herum und warteten darauf, das Grab zuzuschütten. Ich ging zur Mauer hinüber. Janus wartete auf der anderen Seite, und ich half ihm, die Mauer hochzuklettern. Wie immer hatte er sein Skateboard unter den Arm geklemmt und stellte es jetzt behutsam auf das feuchte Gras neben Mas Grab. Er setzte sich darauf, dann rutschte er vorsichtig zur Seite und machte mir Platz. Ich quetschte mich neben ihn.

»Danke für die Luftballons.«

»Keine Ursache. Ich wollte mich auch verabschieden.«

Wir schwiegen. Ich stellte mir vor, wie Janus mit seinen breiten Schultern und dem Skateboard unterm Arm im Spielzeugladen fünf bunte Ballons verlangte.

»Die Farben waren genau auf den Sarg abgestimmt.«

»Zufall«, nuschelte Janus. Und dann fügte er hinzu: »Der coolste Sarg, den ich je gesehen habe.«

Krümel hatte aufgehört, Seifenblasen zu pusten, und hüpfte jetzt auf einem Bein um Mas Grab herum. Er musste Umwege um die Blumenkränze machen und schwankte immer wieder gefährlich, und ich wollte ihm zurufen, dass er aufpassen sollte, damit er nicht ins Grab hineinfiele, aber dann sah ich Ma, wie sie sich hinter ihm materialisierte. Sie hüpfte hinter ihm her, streckte eine Hand nach seinem Haar aus und berührte es fast. Sie sah aus, als wolle sie Krümel viel lieber umarmen. Dann guckte sie zu mir herüber wie ertappt.

Pustete mir einen Kuss herüber. Es sah aus wie vorher bei Krümel das Seifenblasenpusten. Ma machte kehrt und verschwand hinter der Birke.

Und ich fing an zu heulen, weil es plötzlich und endlich leicht und gut und richtig war zu heulen, als ich so neben Janus auf sein Skateboard gequetscht dasaß und kühle Stille über dem Friedhof lag und mein Bruder auf einem Bein hüpfte und meine Tante erschöpft auf der Bank an der Kapelle saß. Meine Eltern fehlten. Beide. Janus legte seine große, breite Hand auf meine Schulter, und so saßen wir noch eine Weile schweigend nebeneinander, während fünf bunte Luftballons irgendwo in Richtung der Erdatmosphäre schwebten, die die meisten Menschen einfach Himmel nennen.

Tante Gerda brachte uns nach Hause. Ich konnte sie davon abbringen, uns hineinzubegleiten, aber sicher wartete sie noch eine Weile vor dem Haus, ob wir wieder herauskämen. Die Musik war schon im Treppenhaus zu hören, und zuerst dachte ich, sie käme aus einer anderen Wohnung. Es war kein Jazz, sondern irgendetwas Wildes, Dumpfes mit viel Bass, und die Musik war so unglaublich laut, dass uns das Hämmern des Rhythmus fast rückwärts wieder aus der Wohnungstür fegte. Alle Zimmertüren standen offen.

Pa war im Schlafzimmer. Das Schlafzimmer allerdings war nicht wiederzuerkennen. Die roten Vorhänge waren heruntergerissen, der Kleiderschrank stand weit offen, davor türmten sich Mas Kleider in großen bunten Haufen, teilweise waren sie in große graue Müllsäcke gestopft und quollen daraus hervor wie etwas Lebendiges, schwer zu Bändigendes. Mittendrin stand Pa. Wir sahen von hinten auf seinen breiten Rücken und seine muskulösen Arme. Seine schütteren Haare standen von seinem Kopf ab wie elektrisiert. Im Rhythmus der Musik schwang Pa die Axt, sie sauste mitten in das Ehebett. Das Bett war kaum noch zu erkennen, es war schon halb zertrümmert, aber das, was davon noch übrig war, ächzte und splitterte bei jedem Schlag. Die Bettwäsche hatte Pa gleich mit zerfetzt, sodass das Ganze aussah wie ein moderner Scheiterhaufen.

Vielleicht wäre es nur natürlich gewesen, wenn ich meinen kleinen Bruder gepackt und sofort die Wohnung verlassen hätte, womöglich um Herrn Gneist anzurufen, denn ganz offensichtlich war mein Vater jetzt vollständig verrückt geworden. Aber vielleicht hatten mich die vergangenen Tage doch irgendwie abgehärtet. Und ich glaube, ich war neugieriger geworden, irgend so etwas in der Art. Ich blieb stehen, Krümel neben mir.

»Pa?!«, rief ich.

Ich war nicht mehr sauer auf ihn. Stattdessen bekam ich plötzlich eine entsetzliche Wut auf Ma, die uns einfach allein gelassen hatte und über Nacht abgehauen war, ohne dass wir uns darauf hätten vorbereiten können. Die uns hier einfach zurückließ mit ihren Zeitungen, die wir aufräumen, und ihren Haaren, die wir wegsaugen, ihren Kleidern, die wir aussortieren, und ihrem Müll, den wir wegwerfen mussten. Mit Sorgen, wie der Alltag weitergehen sollte, und mit der Verzweiflung und dem Vermissen und den tausend offenen

Fragen. Und mit einem Vater, der regungslos Jazz hörte, Pfarrer beleidigte und dann wie ein Irrer Betten zertrümmerte, statt mit uns zu sprechen.

»Pa!«, riefen Krümel und ich fast gleichzeitig.

Pa hörte auf, die Axt zu schwingen, drehte sich um und sah Krümel und mich an. Anders als die ganze Woche lang schaute er diesmal nicht an uns vorbei, ohne uns wirklich wahrzunehmen. Er sah uns tatsächlich an, so als würde er nach Tagen zum ersten Mal seinen Blick scharf stellen wie ein Fotoapparat nach der Reparatur. Ich wagte nicht, mich zu bewegen, weil ich dachte, dass es dann vorbei wäre, aber Pa schaute nicht mehr weg.

»Ich habe Hunger«, sagte er plötzlich und ließ die Axt sinken. »Ich hab riesigen Hunger. Und ihr?«

»Ich habe auch Hunger«, sagte Krümel. Er war einfach immer schneller als ich.

»Ben, kannst du Brötchen holen?«, fragte mich Pa. Ich nickte.

Als ich zurückkam, war die Tür zum Schlafzimmer zu und der Tisch in der Küche gedeckt. Eine komische Mischung aus Essiggurken, Marmelade, Schokolade und Dosenwurst. Aber mein Vater hatte auch Tee gekocht. Gewürztee, seinen Lieblingstee. Krümel kaute schon an einem Brot mit Erdbeermarmelade und Essiggurke.

»Ich muss mir wohl morgen erst mal eine Isomatte kaufen gehen«, sagte Pa.

»Ich glaube kaum, dass eine reicht«, erwiderte ich.

In der winzigen Pause, die auf meine Worte folgte, bemerkte ich, dass Krümel von Pa zu mir schaute und wieder zurück, als hätte er Angst, dass wir genauso unvermittelt wieder aufhören würden, miteinander zu sprechen, wie wir angefangen hatten.

Aber dann sagte Pa: »Ja, gut, ich kaufe zwei. Oder gleich drei.«

Und er grinste uns beide an, Krümel und mich. Als wir beide gleichzeitig nach einem Brötchen griffen und unsere Hände sich berührten, fasste er nach meiner Hand und hielt sie für einen Augenblick fest. Der Tee war heiß und schmeckte intensiv nach Zimt und Nelken.

»Was war das eigentlich für eine Musik vorhin?«, fragte ich.

»Heavy Metal«, antwortete er mit vollem Mund. »Das ist das, was ich gehört habe, bevor ich eure Mutter kennenlernte.«

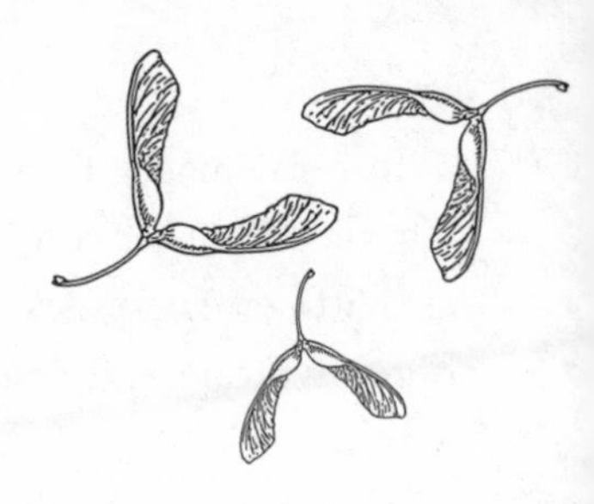

# DANACH

*Darf man auf einem Grab einen Obstbaum pflanzen? Ohne viele Worte haben wir uns darauf geeinigt, dass das an der Stelle des Friedhofs, wo Ma begraben ist, wohl kaum jemanden stören wird. Und jetzt ist Oktober, genau die richtige Zeit, um einen Apfelbaum zu pflanzen.*

*Janus trägt den Apfelbaumsetzling. Ich habe einen Boskop ausgesucht, weil es Mas Lieblingsapfel ist. Er schmeckt säuerlich, und man kann ihn bis in den Winter vom Baum essen, wie Ma das so gerne gemacht hat. Tante Gerda hält den Spaten, in ihren großen Händen sieht der kurze Griff ein bisschen unpassend aus. Pa trägt einen 50-Liter-Beutel mit Blumenerde über der Schulter, er läuft ächzend voraus.*

*Wir graben immer abwechselnd, Pa, Tante Gerda, Janus und ich, damit das Loch tief genug wird und der Baum gut anwachsen kann. Nur Lina und Karl helfen nicht. Karl balanciert auf der vor Kurzem angelegten steinernen Grabeinfassung von Mas Grab, genau wie angekündigt, und die Einfassung ist schon genauso schief wie die Einfassungen der anderen Gräber ringsum.*

*Lina macht Fotos von unserer Grabaktion. Das Objektiv ihrer Kamera fährt mit einem leisen Surren herein und heraus.*

*Janus schaut zu ihr hinüber, als er gräbt, und kurz denke ich, dass er ihr sagen wird, dass sie gefälligst auch mal graben soll, aber dann grinst er schief in ihre Linse. Er hat aufgehört, Lina Eisprinzessin zu nennen.*

*Als das Loch tief genug ist, schüttet Pa den halben Sack Erde hinein, und ich setze den Baum in die Kuhle. Wir drücken den Rest der Erde um den Stamm, und Karl hüpft unzählige Male darauf herum, damit der Boden fest wird. Wenn er gut anwächst, kann der Baum schon im nächsten Jahr ein, zwei Äpfel tragen.*

*Kurz stehen wir alle in einem Kreis und schauen auf den kleinen Baum, der kerzengerade aus der frischen schwarzen Erde ragt. Lina steht so nah bei mir, dass ich ihre Wärme spüren kann. Karl trippelt von einem Bein aufs andere und summt irgendein schiefes Lied, wir anderen sind still. Ich wische meine erdigen Finger an meiner Hose ab und hebe den Kopf.*

*Pa schaut mir ins Gesicht. Als ich seinen Blick erwidere, lächelt er mich an. Er steht ganz gerade. Unter seinem rechten Auge hat er einen schmalen schwarzen Strich aus frischer Erde. Genau heute vor einem Jahr ist Ma gestorben.*

# SONNTAGMORGEN

Eigentlich hatte ich nicht damit gerechnet, dass Krümel noch einmal weglaufen würde, nicht, nachdem er das mit dem Mausoleum erledigt hatte und der Sarg verziert und beerdigt war, aber vor allem nicht nach der Sache mit Pa und dem zertrümmerten Bett, dem Abendessen mit Gewürztee, nicht, nachdem wir angefangen hatten, vielleicht wieder eine Familie zu werden, irgendwie. Aber am Morgen nach der Beerdigung war Krümel wieder weg.

»Hast du eine Idee, wo er sein könnte?«, fragte Pa.

Ich erzählte ihm von Krümels vorherigen Ausreißereien, vom Superman-Mausoleum und dem nächtlichen Friedhofsbesuch. Vom Geheimen Stein erzählte ich ihm nicht.

»Wir teilen uns auf«, schlug Pa vor. Er sah frischer aus als noch am Tag zuvor, als hätte die letzte Nacht einige der Schatten aus seinem Gesicht mitgenommen, und er hatte keine Schwierigkeiten, mir ins Gesicht zu blicken.

»Okay«, sagte ich. »Ich nehme den Marktplatz und den Wald.« Mein Vater nickte. »Und den Friedhof«, fügte ich schnell hinzu.

Ich wollte nicht riskieren, dass Pa beim Anblick von Mas

Grab wieder in seine stumme Zerstreutheit zurückfallen würde.

Wir nahmen beide unsere Jacke vom Bügel, und Mas Mantel, der noch immer an der Garderobe hing, blieb dazwischen hängen und schaukelte kurz hin und her, und wir sahen ihm geduldig dabei zu, als wollte er uns eine eigene Geschichte erzählen. Als Pa sich wieder zu mir umdrehte, zwinkerte er kurz. Vielleicht musste er sich vergewissern, dass ich wirklich da war, bevor er mich an beiden Schultern fasste.

»Ben?«

»Ja?«

Er sah mir ins Gesicht, als suche er Ma darin. Oder etwas anderes, Antworten, Wahrheiten, ein Versprechen. Ich dachte an das, was Lina gesagt hatte: dass die meisten Fragen unbeantwortet blieben, auch nach eineinhalb Jahren noch, oder vielleicht für immer.

»Ach, nichts.« Pa schüttelte kurz den Kopf und lächelte mich an, dann zog er mich zu sich heran und umarmte mich kurz. »Los geht's.« Er zog sich seinen Schal ins Gesicht.

Es war noch früh und der Marktplatz lag verlassen da, ein eisiger Wind blies die trockenen Blätter über das Kopfsteinpflaster, sie tanzten von der einen Marktplatzseite auf die andere und dort vollführten sie einen wirbelnden Reigen. Es waren Herbstferien, aber ich war fest davon überzeugt, dass Lina auch in den Ferien ihre Fotospaziergänge durch die Stadt machte. Die Karyatiden könnte ich noch jahrelang fotografieren, hatte sie gesagt.

Ich stand eine Weile vor dem Seitenportal und betrachtete die steinernen Frauen. Lina hatte recht, jede von ihnen zeigte einen anderen Gesichtsausdruck. Eine wirkte genervt von ihrer Aufgabe, die andere verzweifelte anscheinend an der Last auf ihren Händen, eine weitere schielte ein wenig dämlich auf ihre halb verwitterte Nase, noch eine sah verträumt nach oben in die Ferne. Ich suchte nach etwas zum Schreiben und fand in meiner Hosentasche einen Bleistiftstummel und Linas Zettel.

*Ich würde dir auch gerne einen skurrilen Ort zeigen. B.* schrieb ich auf die Rückseite des Zettels. Der Geheime Stein war zwar nicht halb so skurril wie der Eierautomat, aber es ging ja auch um etwas anderes. Darum, dass ich sie gerne sehen würde, mit ihr sprechen, Fotos machen, Julian besuchen oder das Grab meiner Mutter. Ich faltete den Zettel ganz klein und steckte ihn so hinter den nach oben gestreckten linken Arm der verträumten Karyatide, dass nur eine Ecke herausschaute. Lina war die Einzige, die ihn finden würde, und daran, dass sie ihn finden und dann auch mich aufspüren würde, zweifelte ich nicht. Vielleicht würde es einen Tag dauern oder zwei, aber das war egal, denn was darauf stand, galt für jetzt und später.

Vom Marktplatz lief ich gleich zum Friedhof hinüber. Schon von Weitem sah ich das Grab meiner Mutter, über dem nun ein Erdhügel aufgeschüttet war, auf dem die bunten Kränze lagen. Die weißen Schleifen flatterten im Wind.

Die Linden waren schon fast kahl, und deshalb sah ich ihn sofort, als ich nach oben schaute. Krümel saß auf dem First der Kapelle. Er saß nicht etwa am Rand, dort, wo man sich noch hinhangeln kann, wenn man sich am Dachrand festhält, sondern exakt in der Mitte des Dachfirsts. Er konnte nur hinbalanciert sein. Er saß in einer Art Hocke, beide Beine auf dem steilen Dach, seine Ellbogen auf den Knien abgestützt, und schien den Himmel zu begutachten. Ich hatte Angst, ihn zu rufen und damit zu erschrecken, und ging deshalb so leise wie möglich um die Kapelle herum, bis ich die Stelle fand, an der Krümel hochgeklettert sein musste.

Mir wurde schon beim Anblick der Feuerleiter übel, die rostig und verdreht an der Seite der Kapelle hinauf zum Dach führte, und ich lehnte mich kurz mit dem Rücken an die kalte Mauer des Gebäudes, um Kraft zu tanken.

»Na, Angst?«, sagte eine etwas verwaschene Stimme.

Im leuchtend gelben Pullover, barfuß wie immer, stand Ma unter dem kleinen knorrigen Apfelbaum neben der Kapelle, dessen Äste von den vielen rot-grünen Äpfeln tief heruntergezogen wurden. Dass sie keinen Apfel in der Hand hatte, konnte nur daran liegen, dass sie in ihrem Zustand keinen mehr essen konnte. Ihre Augen blitzten.

Ich nickte ihr nur zu. Vielleicht war es ihre körperlose Leichtigkeit, die machte, dass ich mich mit einem Mal unendlich schwer fühlte. Ich machte meine Augen zu. Ich wollte mich fallen lassen, in Mas Arme stürzen, wollte wieder klein sein und einfach nur warten, bis alles, was mir Angst machte und schrecklich war und wehtat, von selbst vorbeiging, während ich meine Augen fest geschlossen hielt. Alles war so falsch. Dass Ma gestorben war, sowieso, aber eben auch, dass sie trotzdem noch da war und sich immer wieder einmischte in das, was nur deshalb passierte, weil sie nicht mehr da war. Aber dann dachte ich an Pa und seine Heavy-Metal-Musik, an Janus und an Lina mit den Fotografenaugen. Vor allem aber dachte ich an Krümel auf dem Dach und öffnete meine Augen wieder. Ma stand mir immer noch gegenüber.

»Ma, ich glaube, es ist Zeit, dass du weggehst. Also, ich meine, ganz«, sagte ich vorsichtig.

»Ich soll abhauen?«, fragte sie zurück.

Einen Augenblick lang erwartete ich, dass sich ihr Gesicht wütend verziehen würde, wie so oft, wenn jemand nicht ihrer Meinung war oder etwas anderes wollte als sie, aber dann löste sich ihr ernster Gesichtsausdruck in ein Lächeln auf.

»Ich soll wirklich abhauen?«, wiederholte sie. Ich nickte.

»Dann sprich es aus, Ben«, sagte sie sanft. Eine kleine Wehmut saß in ihrem immer noch lächelnden Gesicht.

Mir fiel ein, wie sie es immer gesagt hatte, hundert Mal, wenn sie mich, als ich noch jünger war, irgendwohin gebracht hatte und ich Angst hatte, mich von ihr zu trennen. Krümel war schon längst zu den anderen Kindern gestürmt, obwohl er kaum laufen konnte, aber ich brauchte immer noch peinlich lange für den Abschied von meiner Mutter. Sie fand das lustig und war gleichzeitig ungeduldig. »Hau schon ab!«, hatte sie dann gesagt und mich mit einem leichten Schubs in den Rücken auf den Weg gebracht.

Ich sah Ma an, wie sie vor mir stand, ihre roten Haarsträhnen auf dem gelben Pullover ausgebreitet wie einen Feenmantel. Sie lächelte weiter und wartete geduldig, bis ich so weit war. Ich schluckte schwerfällig.

»Hau schon ab«, sagte ich und musste jetzt auch lächeln. »Hau schon ab, Ma.«

Ich sah ihr dabei zu, wie sie verschwand, sich langsam auflöste wie Nebel in Nebel und wartete, bis der letzte Schimmer ihres Gesichts verschwunden war und dort, wo sie gestanden hatte, nur noch Luft war. Erst dann drehte ich mich weg und begann die Feuerleiter hinaufzuklettern.

Der Dachfirst weit über mir verschwamm vor meinen Augen, und die Wolken schlugen Wellen, aber ich blinzelte das Zitternd-Wässrige weg und zog mich Sprosse für Sprosse nach oben in Richtung des blauen Himmels, und mit jeder rostigen Sprosse wurde ich ein bisschen leichter. Oben angekommen, stellte ich beide Füße hintereinander auf den First und wartete, bis mein Schwindel verebbte, bevor ich unendlich langsam zu Krümel hinüberbalancierte. Ich setzte mich neben ihn, meine Füße vor mir und die Hände hinter mir auf das Dach gestützt. So saßen wir einige Minuten lang, ohne ein einziges Wort zu sprechen.

»Heute ist es genau eine Woche her«, sagte Krümel in die Stille hinein.

»Ja.«

»Vermisst du sie auch so schrecklich?«, fragte Krümel. Jetzt noch nicht, dachte ich. Aber bald.

»Ja«, sagte ich. »Ja, ich vermisse sie auch.«

»Glaubst du, dass sie an uns denkt?«

»Ja, das tut sie«, sagte ich. »Das tut sie die ganze Zeit.«

Ich nahm eine Hand vom Dach und hielt sie meinem kleinen Bruder hin und er legte seine hinein. Ich hielt seine kleine kalte Hand fest in meiner größeren und wärmeren.

Ein eisiger Windstoß wirbelte die Blätter der Kastanien in die Höhe. Krümel drehte sein Gesicht zu mir, und ich konnte sehen, dass er geweint hatte.

»Komm mit«, sagte ich. »Komm mit nach Hause, Karl.«

Aus dem Wipfel der größten Kastanie flog eine Amsel auf. Ein Amselmännchen, ein kleiner schwarzer Vogel. Um uns herum roch es ganz plötzlich süß und schwer nach reifen Äpfeln.

Stefanie Höfler
## Mein Sommer mit Mucks

Mit Vignetten von Franziska Walther
Roman, 140 Seiten (ab 11), Gulliver TB 74725
Nominiert für den Deutschen Jugendliteraturpreis
Leipziger Lesekompass
Ebenfalls als E-Book erhältlich (74546)

Die eigenbrötlerische Zonja lernt im Schwimmbad Mucks kennen, der aussieht wie ein Außerirdischer. Aber irgendwas stimmt überhaupt nicht mit ihm. Und es dauert diesen ganzen verrückten Sommer, bis Zonja herausfindet, welches Geheimnis er mit sich herumträgt.

Stefanie Höfler
## Tanz der Tiefseequalle

Roman, 190 Seiten (ab 12), Gulliver TB 74889
Nominiert für den Deutschen Jugendliteraturpreis
LUCHS des Jahres 2017 (DIE ZEIT/ Radio Bremen)
Ebenfalls als E-Book erhältlich (74746)

Manchmal ist es diese eine Sekunde, die alles entscheidet: Niko, der ziemlich dick ist und sich oft in Parallelwelten träumt, rettet die schöne Sera vor einer Grapschattacke. Sera fordert Niko daraufhin zum Tanzen auf, was verrückt ist und so aufregend anders, wie alles, was in den nächsten Tagen passiert. Vielleicht ist es der Beginn einer Freundschaft von zweien, die gegensätzlicher nicht sein könnten - aber im entscheidenden Moment mutig über ihre Schatten springen.

www.beltz.de
Beltz & Gelberg, Postfach 10 01 54, 69441 Weinheim

Antje Wagner
**Hyde**

Roman, 408 Seiten (ab 14), Beltz & Gelberg 75435
Ebenfalls als E-Book erhältlich (74680)

Seit sie denken kann, ist Hyde Katrinas Zuhause gewesen. Hier ist sie aufgewachsen, mit ihrer Schwester Zoe und ihrem Vater. Jetzt ist Hyde verschwunden – und Katrina auf sich allein gestellt. Von dem was geschehen ist, weiß sie nur noch Bruchstücke. Ihre Suche nach der Wahrheit führt sie auf die Spur eines ungeheuren Geheimnisses. Ist sie überhaupt diejenige, die sie glaubt zu sein?

Simon van der Geest
**Krasshüpfer**

Aus dem Niederländischen von Mirjam Pressler
Roman, 239 Seiten (ab 14), Gulliver 74894
Nominiert für den Deutschen Jugendliteraturpreis

Hidde (oder »Spinnerling«, wie ihn alle nennen) ist ein Außenseiter. Er sammelt Insekten aller Art. Dass er dafür den Keller nutzen kann, hängt mit dem Geheimnis zusammen, das er mit seinem großen Bruder Jeppe teilt. Doch jetzt will Jeppe den Keller für seine Band haben. Der Konflikt eskaliert und erst im letzten Moment kommen die Brüder zur Besinnung.